# Patience dans l'obscur

ISBN : 978-2-89544-111-3
Dépôt légal : Bibliothèque et Archives nationales du Québec,
Bibliothèque et Archives Canada et Bibliothèque Nationale de France, 2007

ÉDITIONS MULTIMONDES
930, rue Pouliot
Québec (Québec) G1V 3N9
CANADA
Téléphone : 418-651-3885
Télécopie : 418-651-6822
multimondes@multim.com
http://www.multim.com

DISTRIBUTION AU CANADA
PROLOGUE INC.
1650, boul. Lionel-Bertrand
Boisbriand (Québec) J7H 1N7
CANADA
Téléphone : 450-434-0306
Télécopie : 450-434-2627
prologue@prologue.ca
http://www.prologue.ca

DISTRIBUTION EN FRANCE
LIBRAIRIE DU QUÉBEC – DNM
30, rue Gay-Lussac
75005 Paris
FRANCE
Téléphone : 01 43 54 49 02
Télécopie : 01 43 54 39 15
direction@librairieduquebec.fr
http://www.librairieduquebec.fr

DISTRIBUTION EN BELGIQUE
La SDL Caravelle S.A.
Rue du Pré aux Oies, 303
Bruxelles
BELGIQUE
Téléphone : +32 2 240.93.00
Télécopie : +32 2 216.35.98
Sarah.Olivier@SDLCaravelle.com
http://www.SDLCaravelle.com

DISTRIBUTION EN SUISSE
SERVIDIS SA
chemin des chalets 7
CH-1279 Chavannes-de-Bogis
SUISSE
Téléphone : (021) 803 26 26
Télécopie : (021) 803 26 29
pgavillet@servidis.ch
http://www.servidis.ch

Les Éditions MultiMondes reconnaissent l'aide financière du gouvernement du Canada par l'entremise du Programme d'aide au développement de l'industrie de l'édition (PADIÉ) pour leurs activités d'édition. Elles remercient la Société de développement des entreprises culturelles du Québec (SODEC) pour son aide à l'édition et à la promotion.
Gouvernement du Québec – Programme de crédit d'impôt pour l'édition de livres – gestion SODEC.

**Catalogage avant publication de Bibliothèque et Archives nationales du Québec et Bibliothèque et Archives Canada**

Very, Jacques, 1938-

Patience dans l'obscur
ISBN 978-2-89544-111-3

1. Grossesse. 2. Femmes enceintes – Ouvrages illustrés. I. Reeves, Hubert, 1932- .
II. Titre.
RG524.V47 2007 612.6'3 C2007-941081-2

50%

Imprimé avec des encres végétales sur du papier dépourvu d'acide et de chlore et contenant 50% de matières recyclées dont 15% de matières post-consommation.

IMPRIMÉ AU CANADA/PRINTED IN CANADA

JACQUES VERY
HUBERT REEVES

# *Patience dans l'obscur*

ÉDITIONS
MULTIMONDES

à Cécile ma mère
à Violaine ma femme
à mes filles et à mes petites-filles...

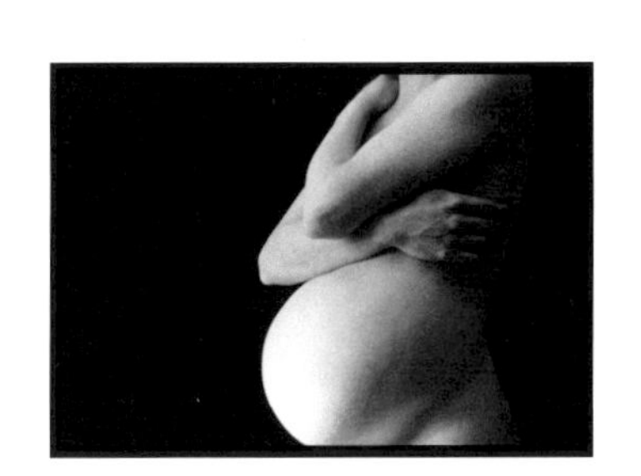

Une eau qui ruisselle sur le sable prend la forme de l'arbre traversé par la sève. Une heureuse concordance donne au tronc de l'arbre et au ventre de la mère une même racine lointaine : le mot latin *mater*. Mater-matière-matrice-mère.

# Préface

*Couchée sur le dos, les yeux fermés, la femme enserre son ventre rond entre ses bras. Ses mains caressent le lieu de la gestation du fruit. Dans la nuit profonde de son ventre, une merveille inouïe se prépare. Ça se passe tout seul. L'enfant naîtra à son heure. À elle simplement de lui assurer les meilleures conditions et surtout ne rien faire qui puisse nuire à son développement.*

*Les analogies entre l'histoire de l'univers et celle des êtres humains sont nombreuses. Un Big Bang orgasmique signale le passage du cosmos à l'existence. Suit une longue parturience où, dans l'obscurité puis à la lumière, la matière s'organise. Les lois de la nature sont le code. D'un magma indifférencié émerge au cours des milliards d'années une succession de structures. Atomes, molécules, galaxies, étoiles puis, sur une planète, les premières formes vivantes et, progressivement, les plantes, les animaux et, un jour, chacun de nous.*

*Il nous est difficile d'imaginer qu'il y a quelques dizaines d'années nous n'existions pas ! Que le monde était mais que nous n'y étions pas. Qu'il a fallu un nouveau Big Bang orgasmique pour que nous passions à l'être. Que dans un lieu caché lentement se mettent en place selon les génomes réunis, les membres du corps que nous avons. Ou, mieux : que nous sommes.*

*Nous n'avons aucune raison de penser que ce dévoilement progressif des potentialités de la nature a atteint son terme et qu'il s'arrêtera avec nous. Selon toute vraisemblance, il y a encore en réserve dans le cosmos et dans la matière, des potentialités aussi extraordinairement supérieures à l'être humain que l'être humain l'est des premières bactéries apparues il y a quatre milliards d'années quelque part dans une nappe aquatique.*

*Mais nous avons une conscience avivée du fait que, comme la femme enceinte, nous avons une responsabilité par rapport à ce devenir: lui assurer les meilleures conditions pour qu'il se développe et s'épanouisse à l'échelle de ses capacités.*

**Hubert Reeves**

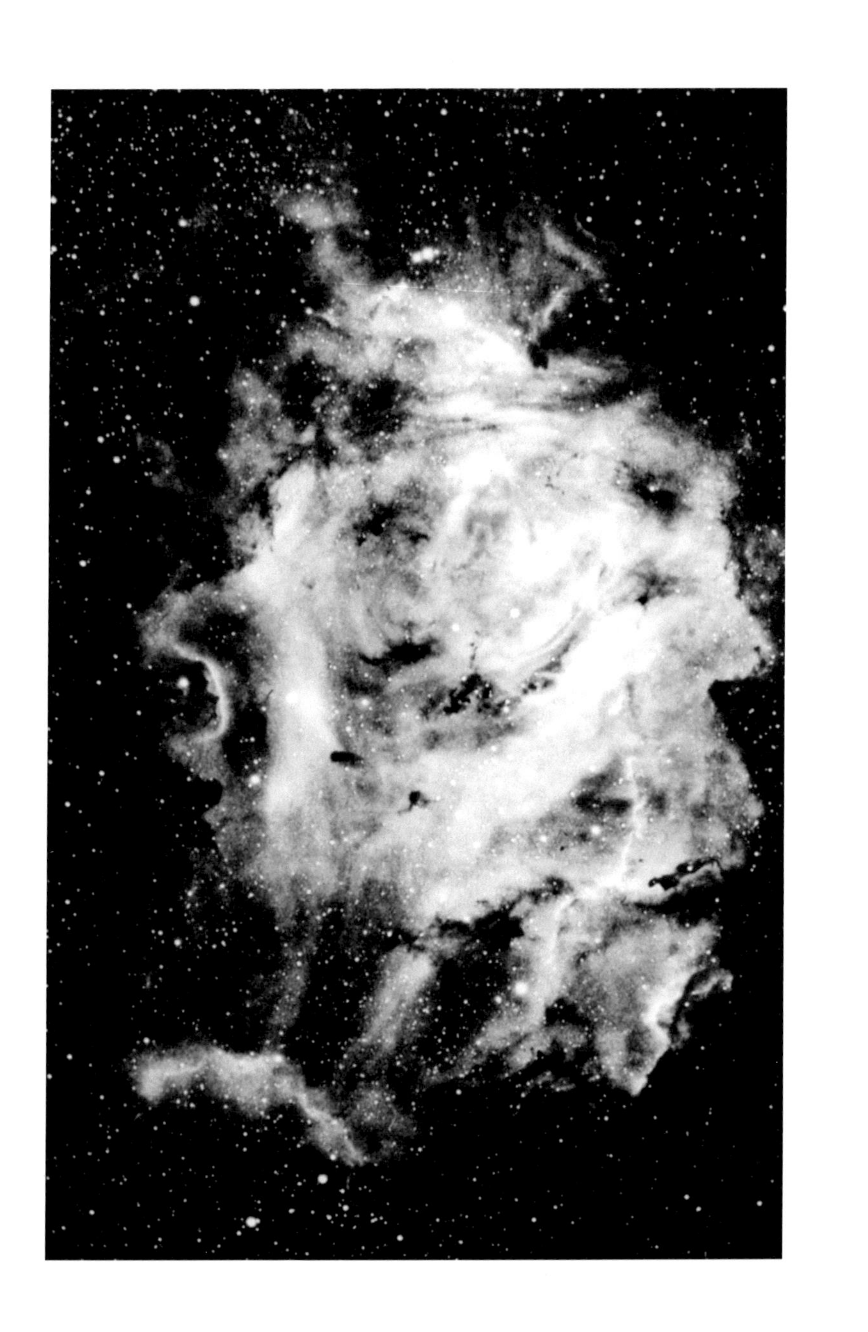

Il est étrange que tout au long de l'histoire de l'art,
la femme enceinte ait été si peu célébrée, si peu représentée... ?

*Ô nuit, je n'ai rapporté de ta félicité que l'apparence parfumée d'ellipses d'oiseaux insaisissables !*

René Char

Pour qui a l'amour des cavernes, des cachettes, des trous de verdure, pour qui a eu, un jour, l'envie de se recroqueviller dans les creux d'ombre, le mot obscur est un mot de douceur. Mot protecteur, enveloppant, tourné vers le dedans, qui, à force d'être sombre se tend vers une clarté à venir, quelque chose en attente, un espace à remplir : profond.

Je n'ai jamais eu peur de la nuit.

Cette grande nuit, métaphore du ventre maternel, avec la lune, bonne bouille féminine, qu'on disait accoucheuse énigmatique et lointaine... Qu'une troublante connivence puisse s'établir entre une planète et un ventre fécond, quel joli conte au bonheur de la forme ronde !

Planète mère... N'est-ce pas dans cette sphère, à l'abri de la pesanteur, que nous avons pris notre visage humain ?

Parfois, en regardant se faire et se défaire les vagues sur la mer, il m'arrive de songer à la patience de ces porteuses d'enfants qui savent si bien, en elles, ourler (de façon sans doute aussi obscure que lucide) le coquillage d'une oreille, comme un bijou vivant.

Il eut été facile de célébrer la vie en commençant par le début, on aurait tellement pu s'émerveiller de comprendre combien neuf mois pouvaient contenir d'éternité. Mais, il n'y avait pas de mots pour cela. La femme enceinte, enveloppée dans son mystère, n'exposait pas glorieusement la beauté de ses formes. Le prodige devait rester derrière la barrière du tabou, laissant bien des interrogations rejoindre au loin ce regard enfantin qu'on porte sur le ciel. La nostalgie du jaillissement premier fait dire à Silesius : *tout a son meilleur lieu dans son origine*.

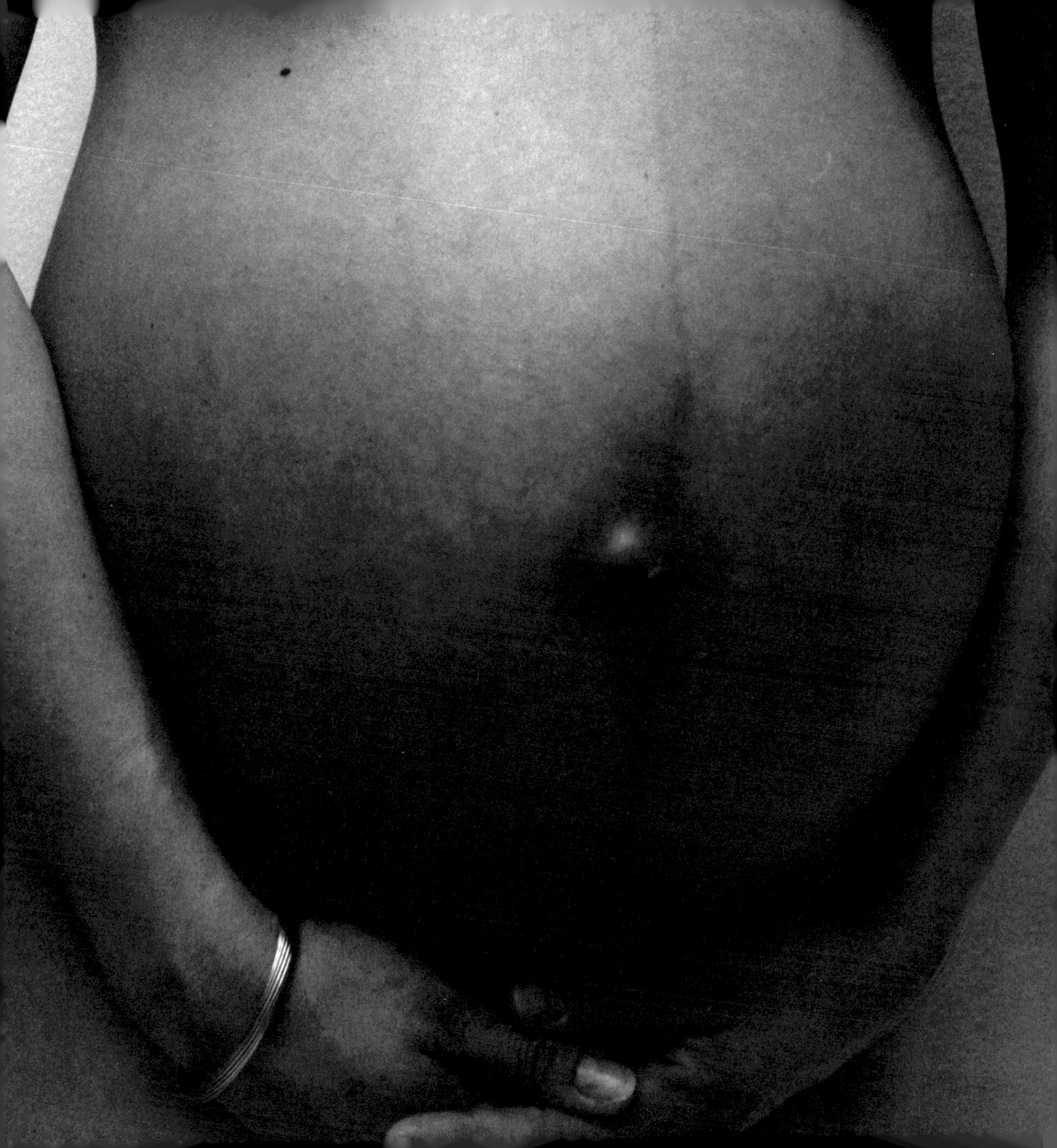

Je voulais remonter aux étonnements premiers, et il est bien possible qu'en photographiant une réalité passagère j'aie placé devant moi – filtre inconscient sans doute – l'image archétypale d'un principe universel. La figure de la Mère féconde me renvoyait à cette Dame de Lespugue surgie obscurément de la Terre mère. D'elle à moi, depuis longtemps, quelque chose d'intense passe si étrangement que j'aurais voulu pouvoir en nourrir mon travail, ne serait-ce que projeter un peu de sa rigueur géométrique et de sa mystérieuse lucidité.

N'en finissant pas de m'émerveiller de voir se renouveler dans le magma des ventres le cycle de la vie, j'étais aussi bouleversé du fait que cette œuvre, venue de la nuit profonde de la préhistoire, puisse m'apparaître comme un pur événement d'actualité.

*L'origine est abîme*, dit Jabès... et j'eus l'envie de jeter un caillou, dans l'espoir qu'un bruit me revienne du fond.

À peine un bruissement lointain inaccessible...

Et si l'on se souvenait, ne serait-ce qu'une seule fois, d'avoir été l'habitant de cette île au temps premier de notre maternelle alliance.

Comment ne pas revenir à la statuette de Lespugue ?

Ce petit objet de 14,7 cm, presque vieux de 20 000 ans, n'est-il pas taillé dans la matière vivante d'une défense de mammouth ?

Comme on voudrait apercevoir encore l'animal qui broutait... Celui-là même qui portait dans l'ivoire de sa corne, sans le savoir, l'image à venir de l'une des plus fortes expressions humaines.

Tant d'œuvres placées devant nous à la conquête du temps et tournées vers l'infini, comme des figures de proue qui ouvrent pour nous l'espace. Nous leur confions nos interrogations et notre désir d'absolu.

Le temps de la grossesse est celui d'une alliance, une symphonie dans laquelle les animaux, la forêt, les fleurs, la campagne, la mer et nous, faisons partie d'une même immensité.

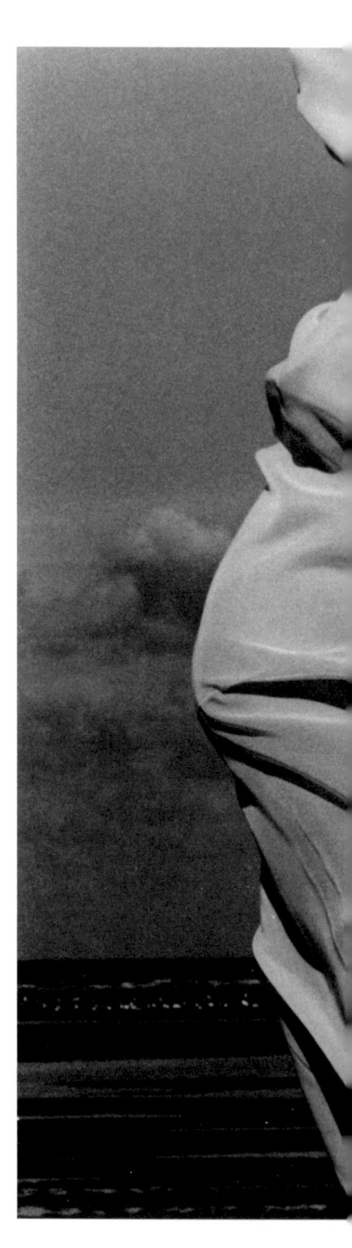

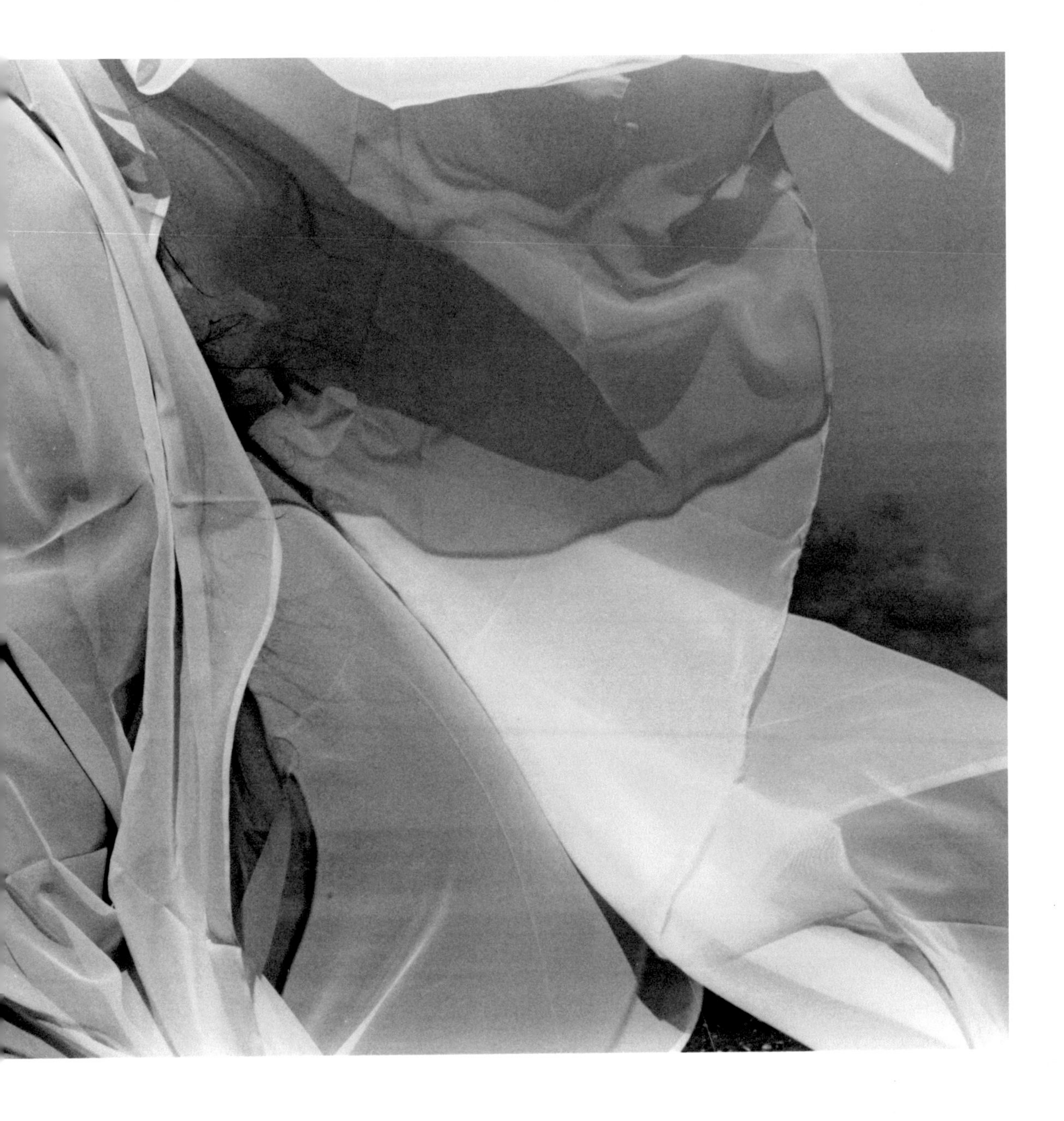

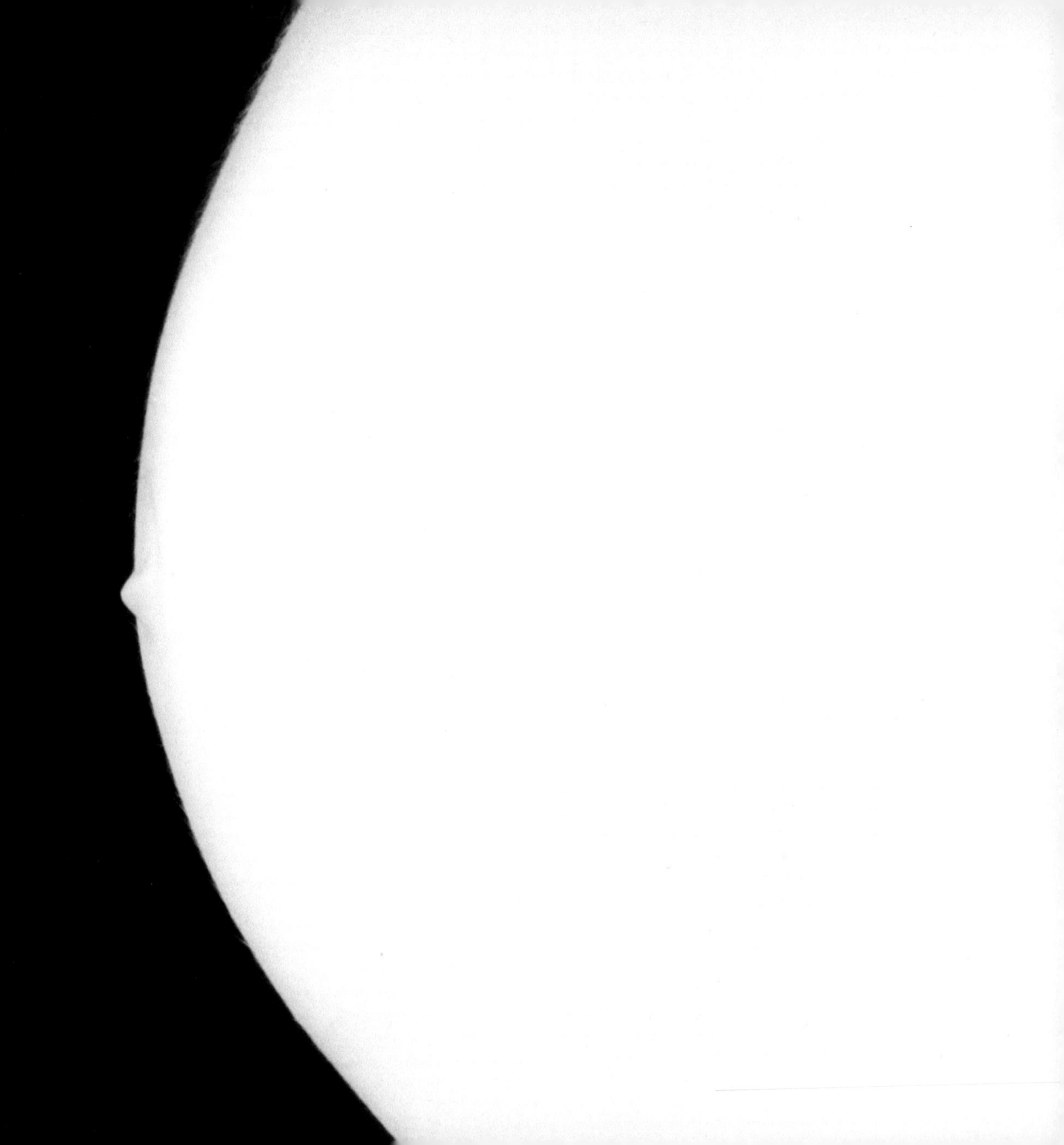

Ma première image fut une épure, à la frontière du noir et du blanc. De tant de mystère je n'avais su retenir que la beauté d'une courbe (arc parfait dont la corde assujettie serait devenue invisible).

D'emblée ma recherche était formelle, mais les femmes que je photographiais voulaient qu'on leur révèle autre chose. Sans doute espéraient-elles que le secret qui les habite – tant de sensations, tant de déséquilibres, et tant de plénitude à la fois – puisse impressionner la surface sensible ?

Je comprenais qu'il me faudrait réinventer la lenteur. Prendre le temps d'un long regard. Sans doute, laisser la photo s'imprimer d'elle-même à la manière de ces sédimentations qui ont donné forme aux fossiles. Préférer la pose à l'instantané, attendre, patience contre patience, face à ce ventre en état de repos, lisse et clos sur son obscurité.

D'un côté la peau, de l'autre la pellicule dans une parfaite symétrie, je sentais l'une entrer dans le secret de l'autre. Être face au modèle dans un état de grande proximité, avec toutefois juste ce qu'il faut d'écart, comme deux danseurs qui à distance danseraient un même pas.

J'étais poussé par une idée simple : la photo cadre le monde, ce faisant, elle le fragmente... Il me fallait mener cela jusqu'au système, faire de façon récurrente des cadrages très serrés, montrer la partie pour le tout, multiplier obstinément presque toujours la même image, avec l'espoir d'atteindre, par le jeu de la répétition, ce point de passage où le particulier rejoint le général. Qui sait si, en fin de compte, de l'accumulation ne se dégagerait pas une image idéale et virtuelle, sorte d'icône qui exprimerait l'humain ?

L'approche est difficile, déconcertante parfois. Dans la pratique, il se peut qu'on arrive à des réactions aussi contradictoires que celles de ces deux femmes. L'une, une inconnue qui, tout en se présentant comme particulièrement pudique, me dit d'emblée : *Vous pourrez me photographier comme vous voulez. Rien ne peut me gêner, mon corps n'est plus mon corps*. L'autre, une amie, modèle de jadis, refuse toute photographie : *Enceinte, jamais.*

Comme une fleur, son ventre se referme jalousement sur l'intime.

Arrive le moment où ces mères que la fatigue surprend ne parviennent plus à voir vraiment ce corps qui les encombre... Et l'on a tellement dit, depuis Baudelaire, que *la femme est abominable parce qu'elle est naturelle.*
Être alors le miroir nécessaire, avec pudeur et prévenance. *Montrez-moi que je suis belle*, m'a dit l'une de ces femmes que je photographiais.

Étrange moment que celui de la grossesse, où pudeur et impudeur, élan et retenue peuvent pourtant parvenir à se réconcilier. Période heureuse où le rêve est concentré dans une sorte de temps suspendu, où les angoisses et les joies viennent à se superposer, et où les verbes conjuguent simultanément passé, présent et futur.

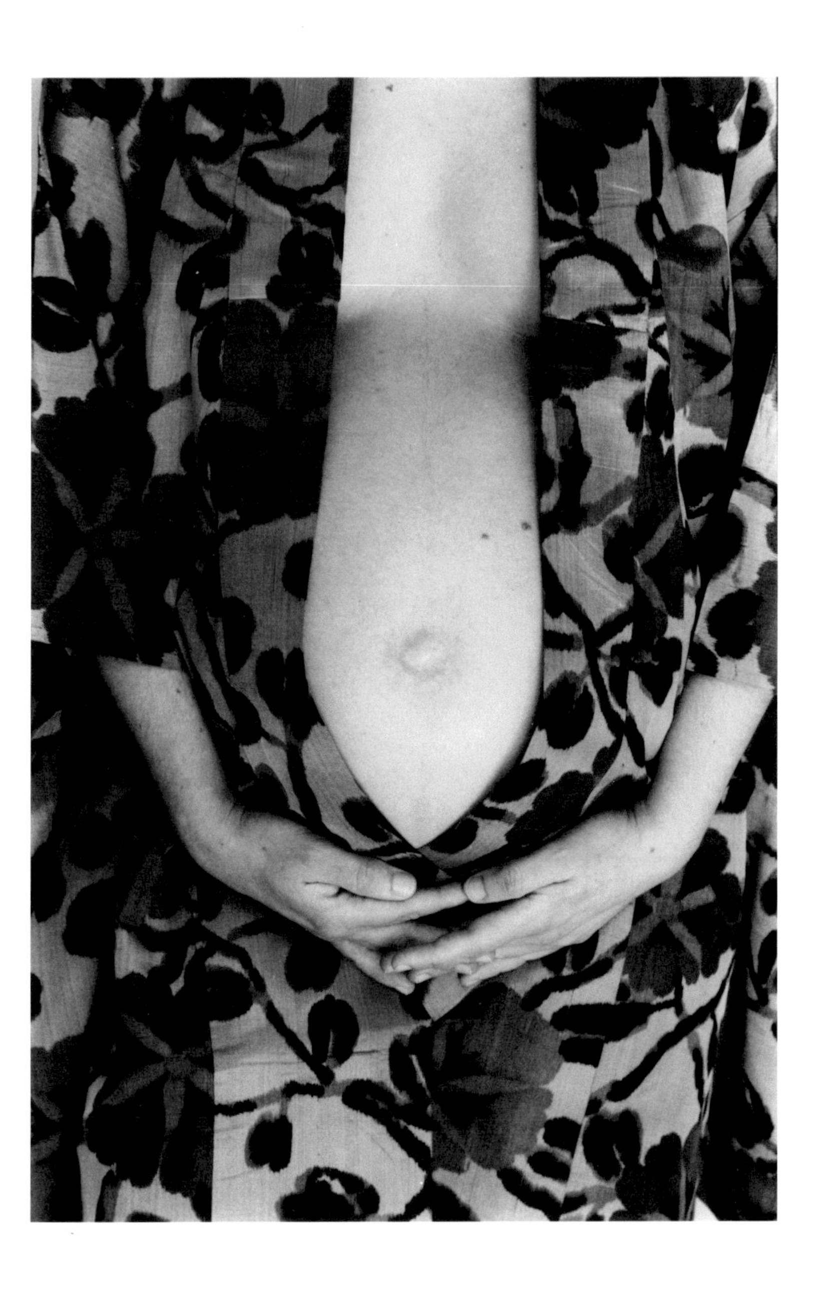

Dans la chaleur de l'après-midi, au début de l'été, Sophie s'était endormie. Son corps superbe, abandonné au sommeil gardait curieusement quelque chose d'enfantin. Et pourtant, ce ventre plein qui émergeait si tendu du désordre des draps imposait la maturité d'un fruit énorme, la force immuable d'une montagne féconde. Cime de silence sur un monde apaisé et violent tout à la fois.

Je n'avais pas prévu, j'arrivais en désordre, chargé d'appareils, mon trépied en travers... Il fallait faire vite, je savais que le plus petit mouvement pouvait compromettre l'équilibre admirable d'une harmonie fragile.

Il m'a semblé pourtant qu'il était possible, une fois encore, de faire confiance à ce qui dure. S'arrêter. Prendre le temps. Attendre. Regarder par plaisir. Mais l'évidence du visible se retourne vite en incertitude.

Ce corps dans son sommeil était là comme une île, forcément lointaine comme le sont toutes les îles... Île féminine du mystère de la vie qui s'engendre. L'un en deux.

Il doit être bien étrange de ne plus se sentir seule dans le corps qu'on habite. Lorsque la maman dort, son bébé l'accompagne-t-il dans un songe commun ? Jusqu'où ? *Terra incognita* où l'homme n'a pas accès.

Dans un geste qu'on aurait pu prendre pour l'une de ces bizarreries qu'on attribue aux femmes enceintes, Isabelle s'était saisie de deux grandes ramures de cerf qu'elle avait mises en garde de part et d'autre de son ventre.

*Voilà, photographiez-moi.*

Cela faisait un bloc étrange. Puissant. Quelque chose d'insolite et de sauvage.

*La forêt,* me dit-elle, *est le lieu du travail de Philippe. Nous sommes depuis longtemps attentifs à la présence des arbres, aux rythmes naturels, aux passages des grands animaux, aux vols migratoires des oiseaux... Alors, au moment de la grossesse...*

*Sans l'avoir fait exprès, nous avons conçu notre bébé à la période des mues ; nous savions qu'il accomplissait ses premiers développements tandis que se renouvelaient les ramures des cerfs. Il faut quatre mois pour que s'épanouissent les bois sur la tête d'un cerf.*

*J'imaginais cette matière vivante en train de se former doucement quelque part alors que je portais mon enfant dans la broussaille de ma chair...*

*Dans ces grands arbres de la forêt, pourquoi un cerf (demi-bête, demi-dieu) ne protégerait-il pas un petit enfant à naître ?*

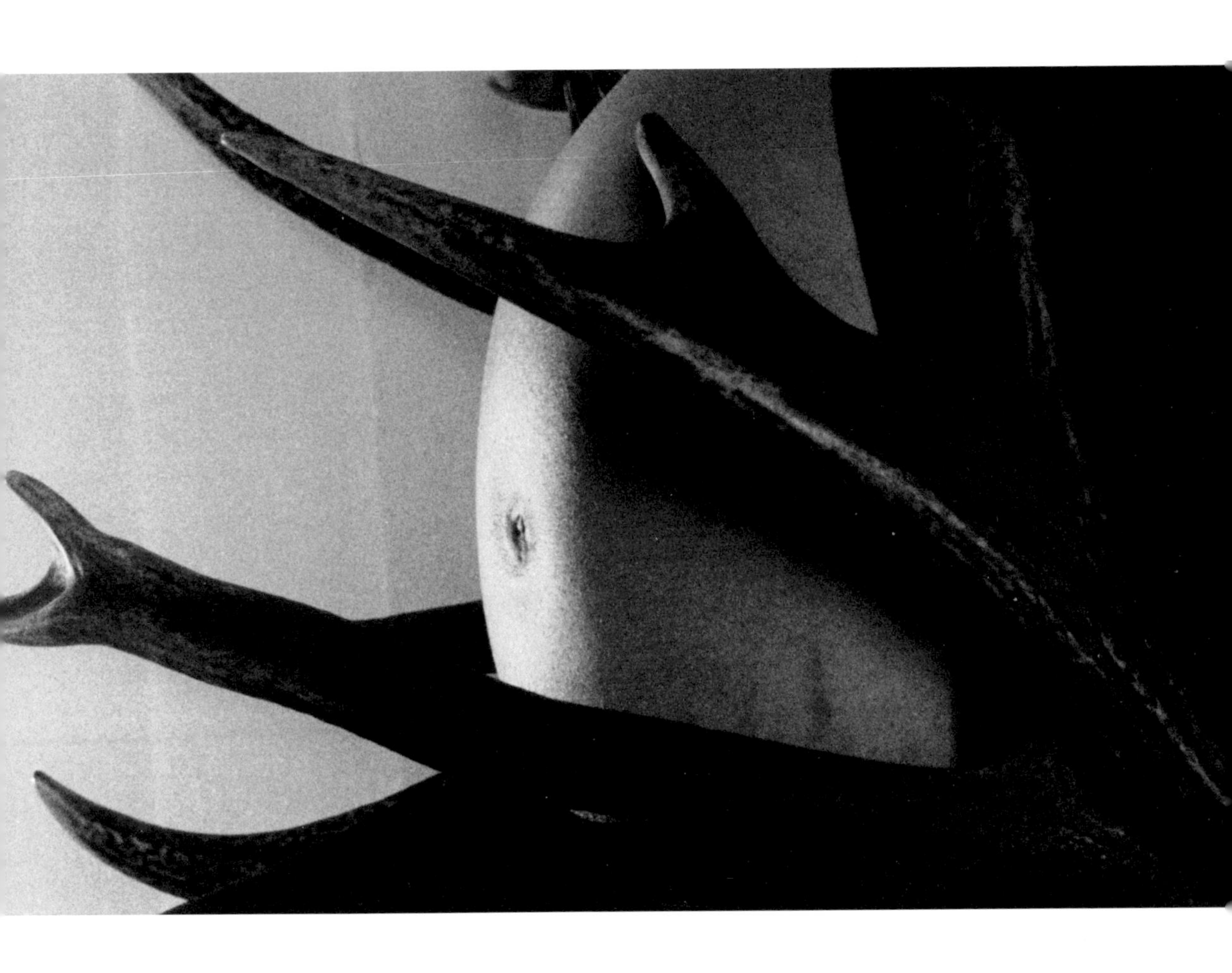

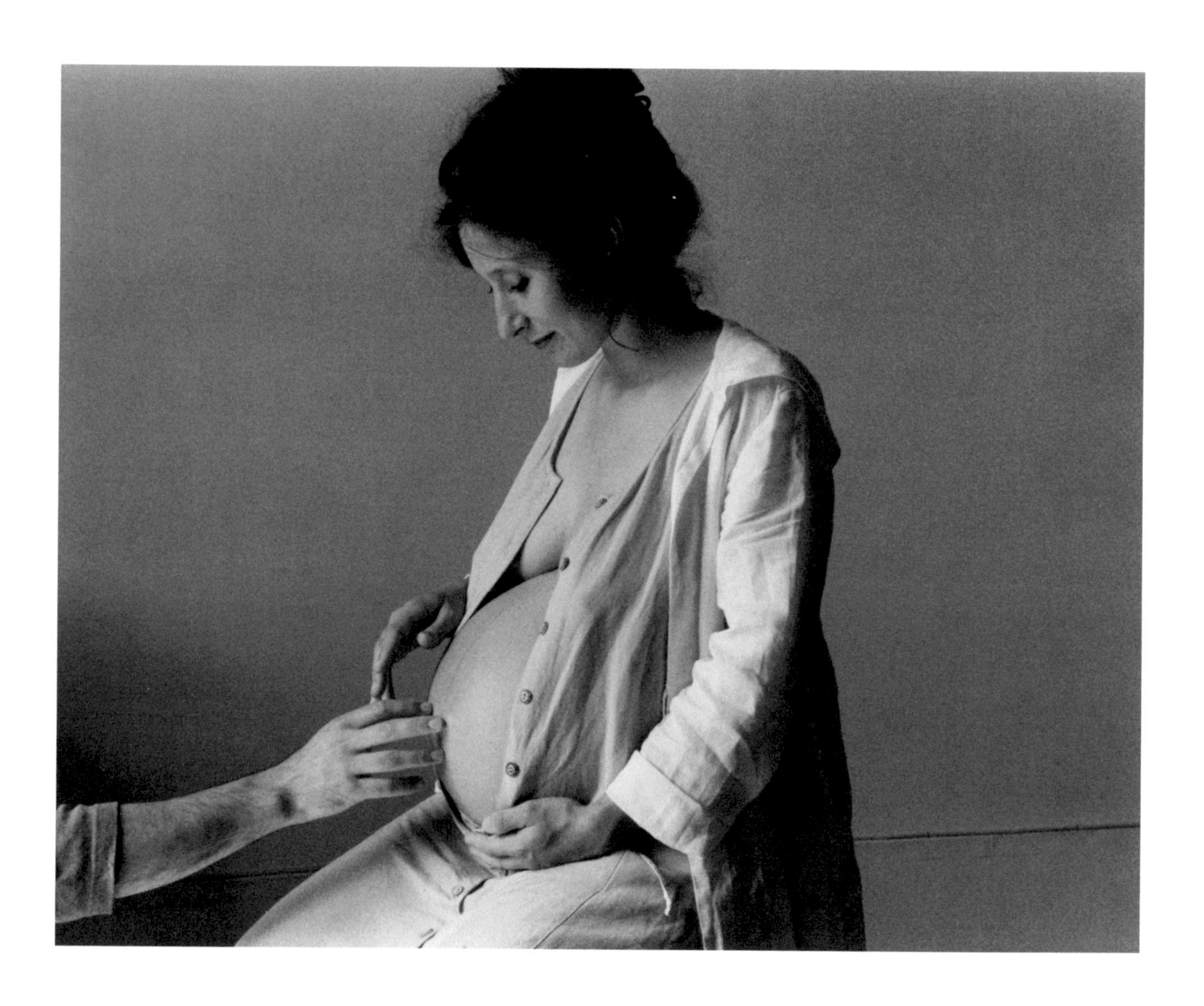

Il peut paraître étrange qu'un homme soit fasciné par les femmes enceintes au point de photographier obstinément l'énigme de leur ventre.

Regret de n'avoir plus sa mère... Et celui de se savoir à jamais exclu de l'expérience de la maternité. J'ai été trois fois père, le corps traversé par des élans de vitalité et de tendresse, les bras tendus, mais le ventre vide.

Certes nous ne naissons pas totalement polarisés dans un sexe ou dans l'autre, mais comment cette part X que je porte en moi pourrait-elle s'exprimer totalement sans oblitérer l'autre part ? Bienheureux Tirésias... Vieux rêve impossible que seuls les escargots savent réaliser, et avec tant de volupté.

Vieille frustration masculine de se voir refuser d'entrer dans le cercle. J'ai appris en faisant ces images que les frustrations se croisent et se répondent. Des femmes m'ont dit qu'elles ont eu quelquefois le désir, aussi secret que désespéré, d'accueillir le père de leur enfant, avec elles, dans leur ventre...

Homme ou femme, faut-il croire que nous portons l'un et l'autre, aussi intimement, le même rêve. Mythe de l'être double en qui se confondrait ce qui est séparé, là où communiquerait l'incommunicable.

Le moment est venu de faire place au silence. Les images n'ont pas besoin des mots. Au-delà du gris de leur matière s'ouvre un monde intérieur insondable qui appartient à chacun de nous.

Comme toute image, une photo est une attente de celui qui regarde.

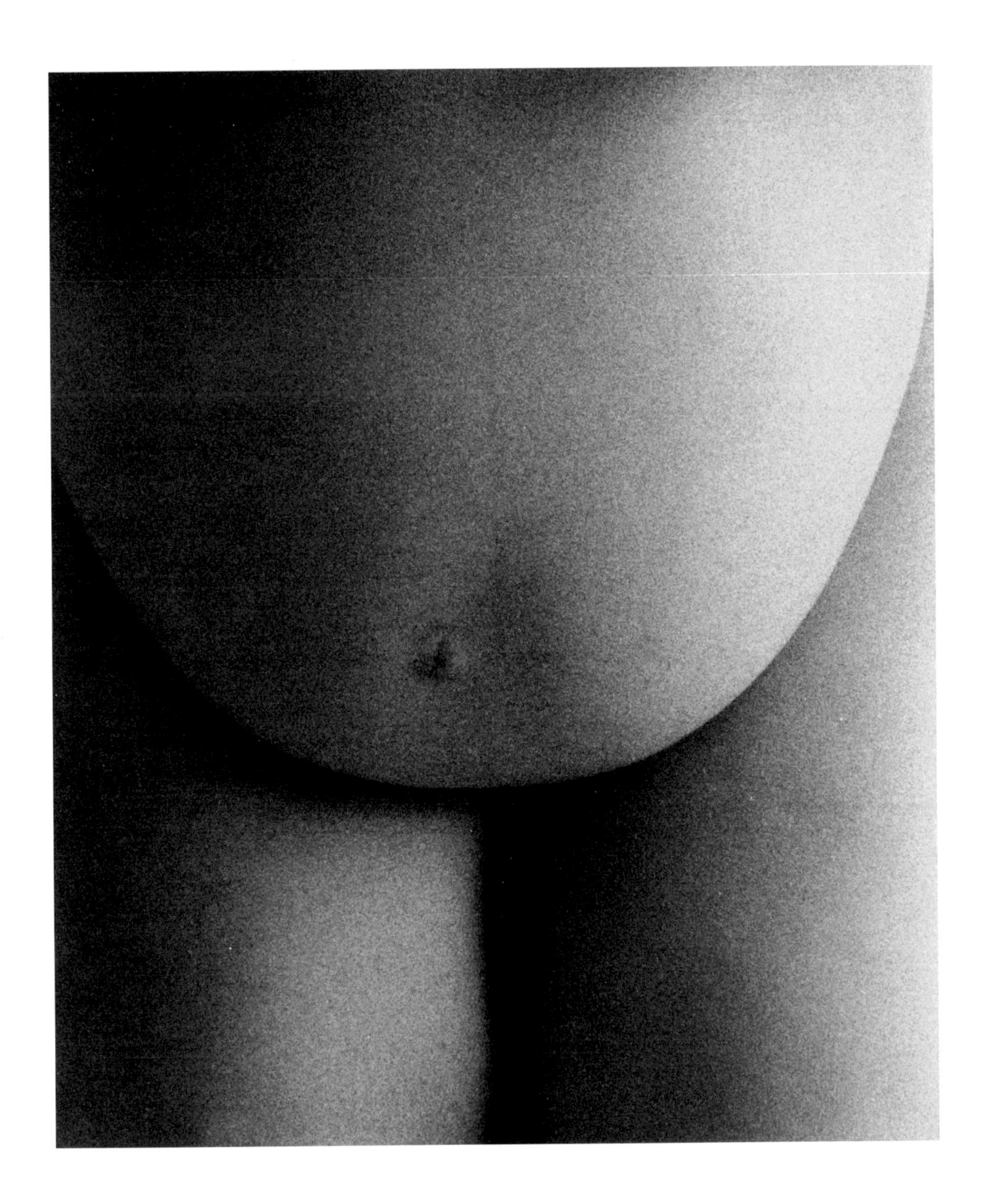

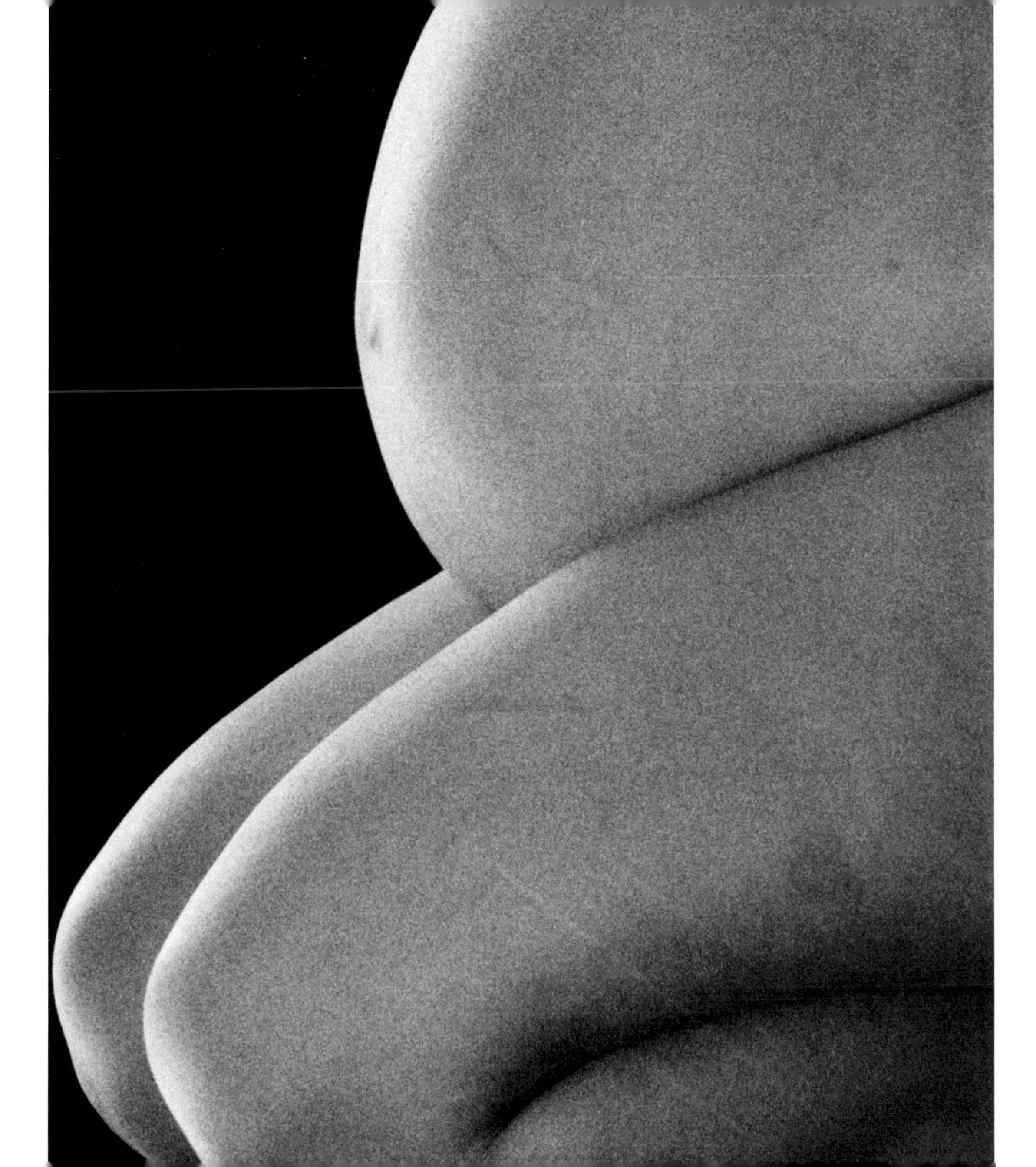

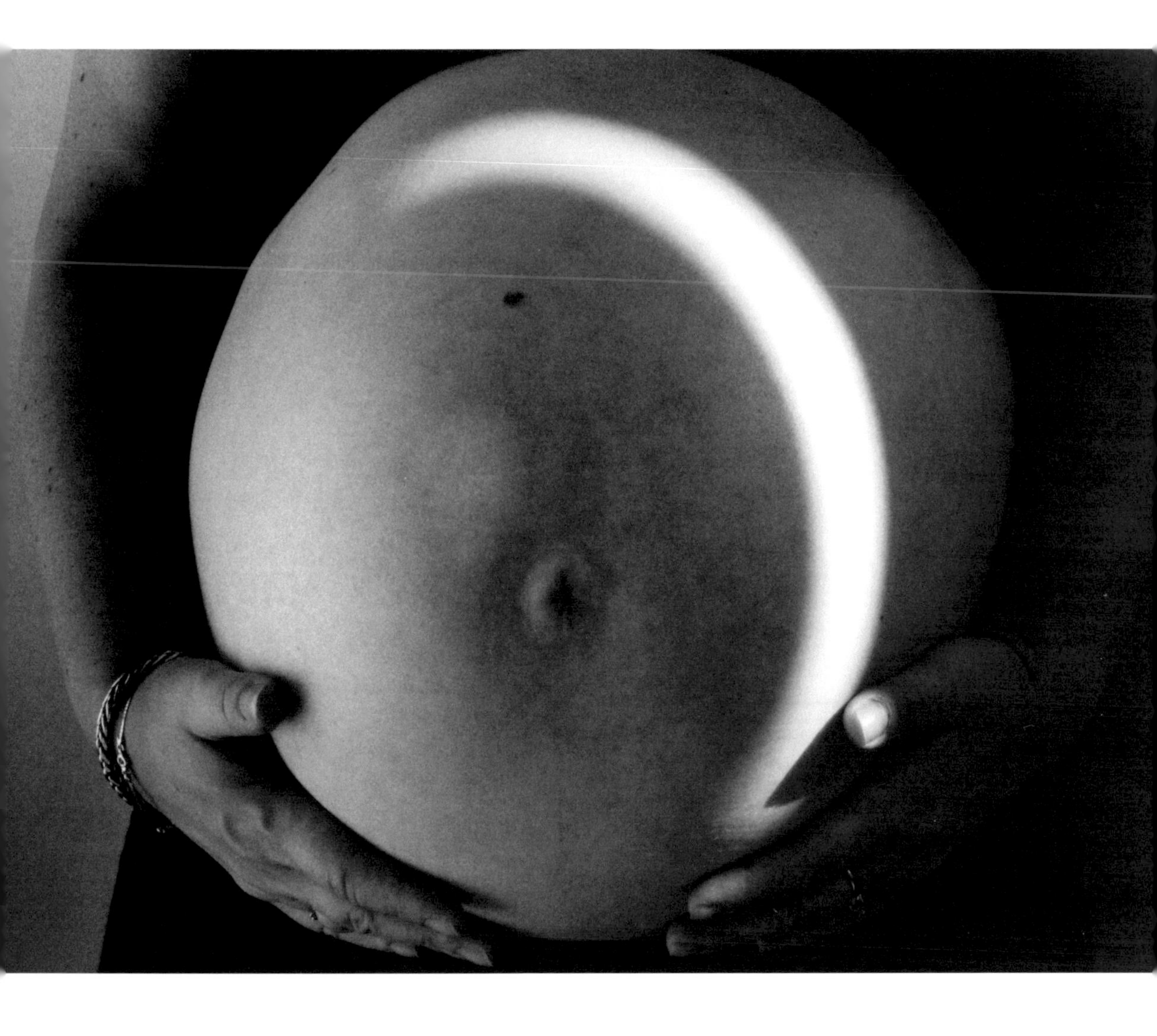

Quant à moi, je voudrais qu'il soit possible de mettre face à face deux parts d'ombre, deux attentes, deux patiences... L'obscur du ventre et cette autre obscurité de la caméra justement *obscura*. Deux mystères. D'une nuit l'autre, faire surgir la lumière.

*Toute la mémoire du monde est dans un grain de sable.*

Edmond Jabès

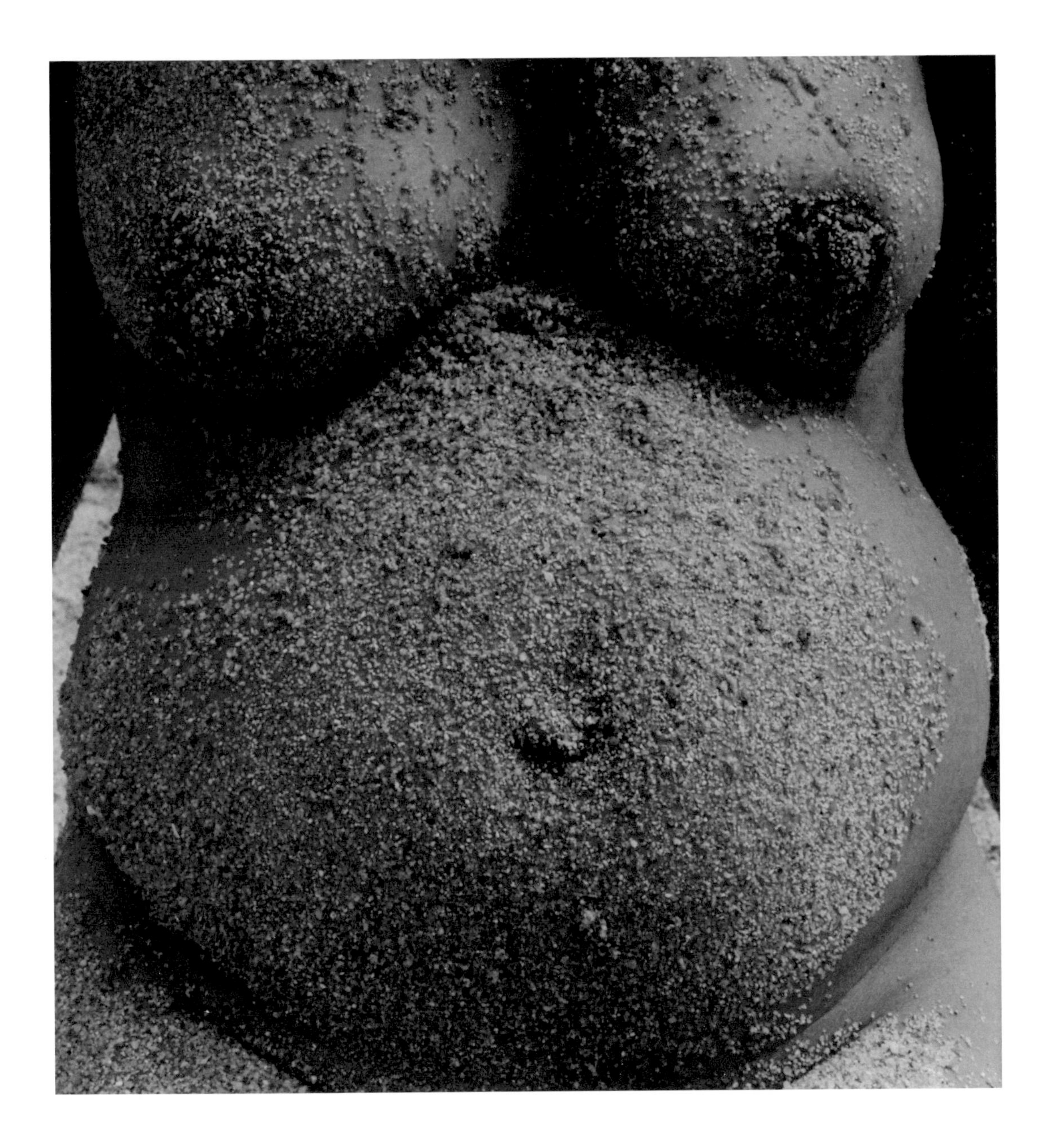

*Avant, il y a l'eau ;*
*Après, il y a l'eau ;*
*Durant, toujours durant.*

Edmond Jabès

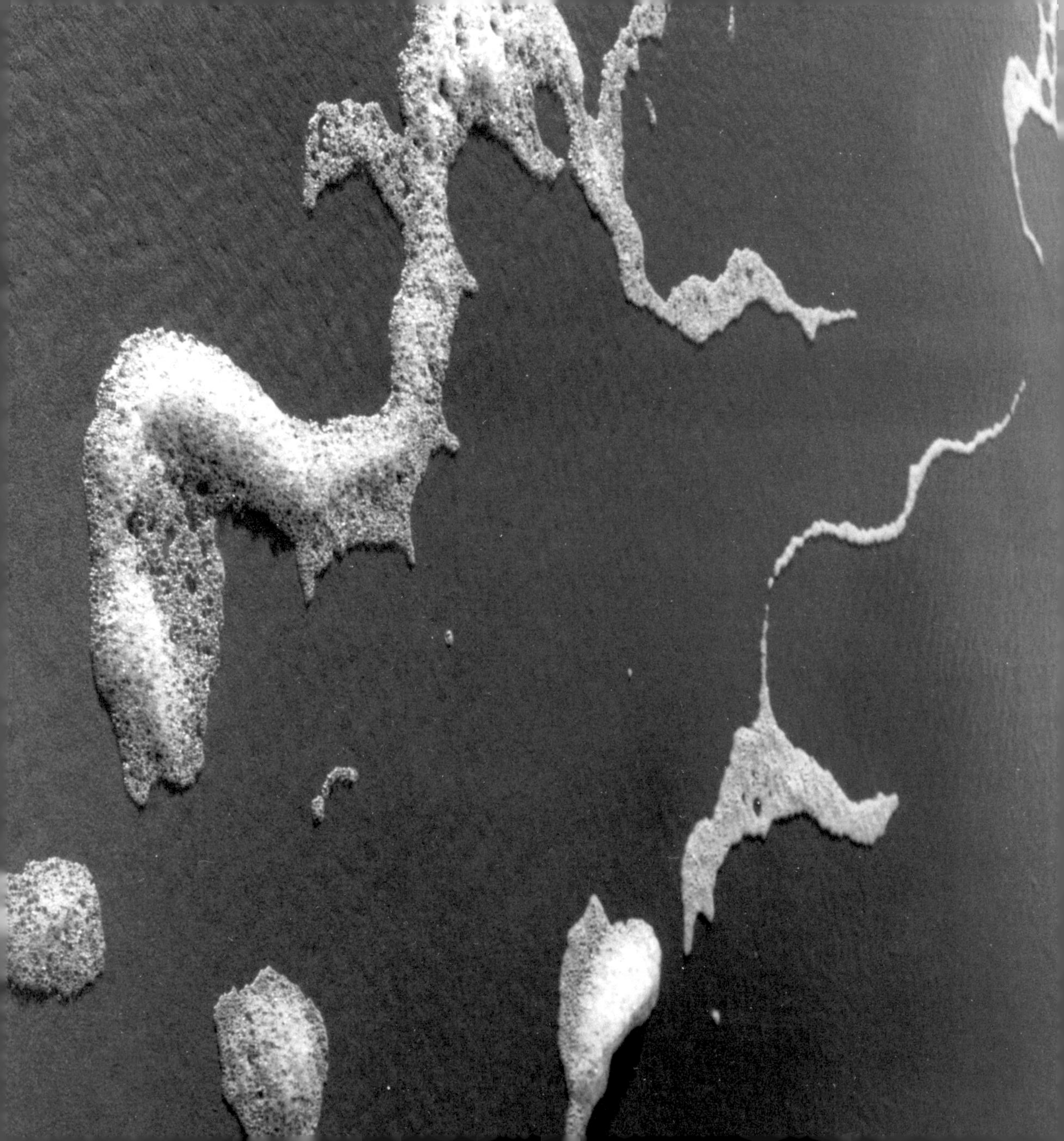

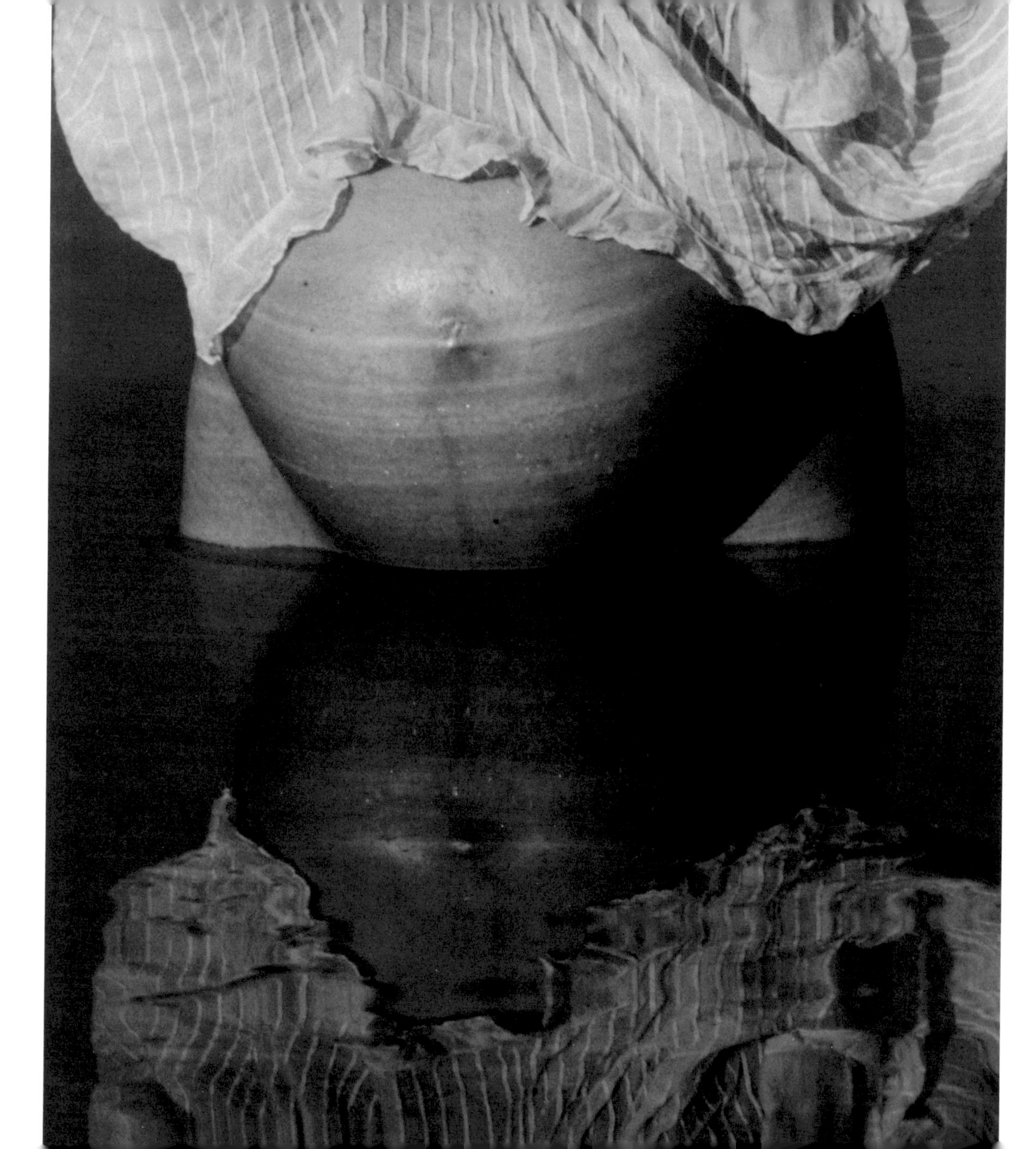

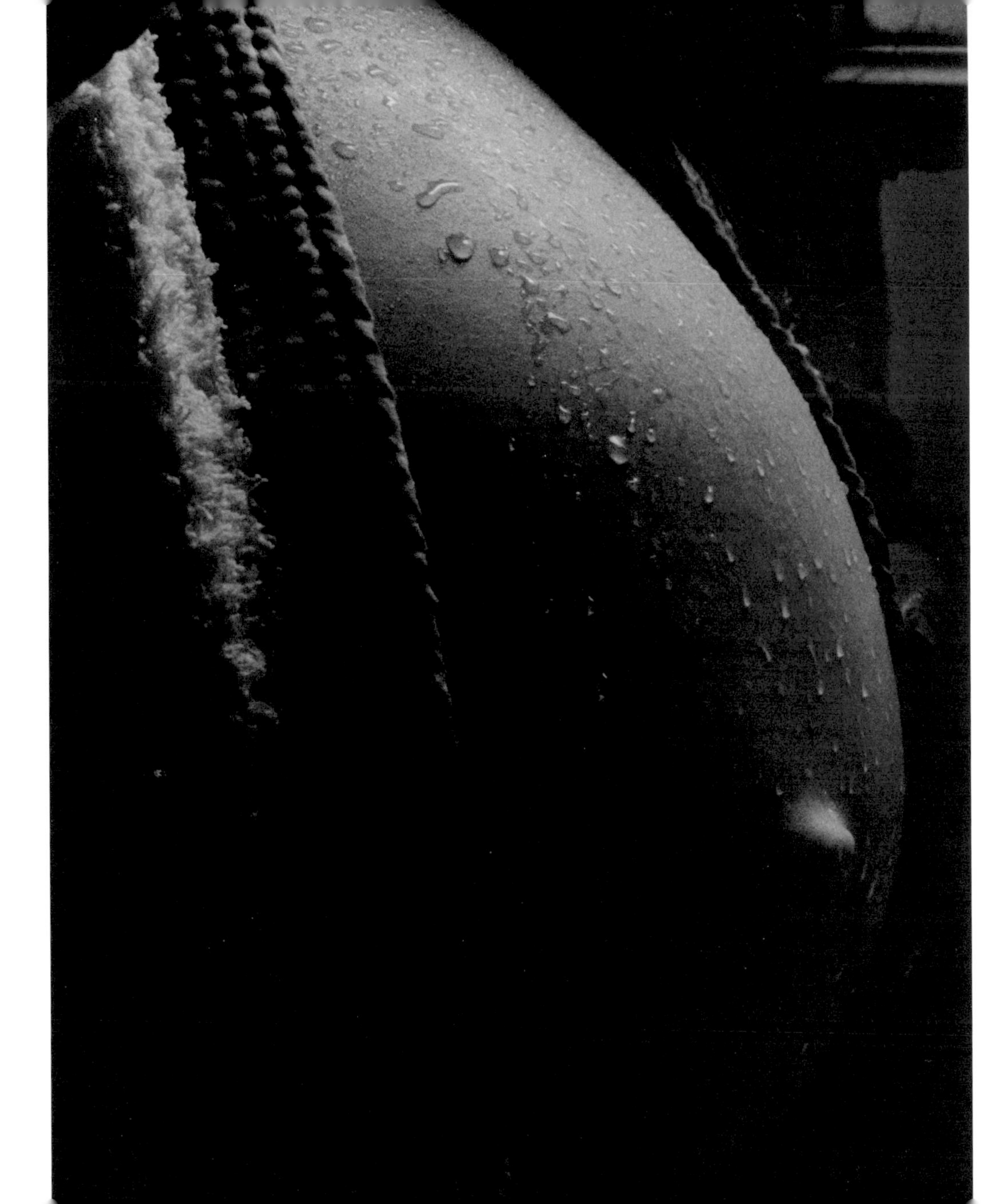

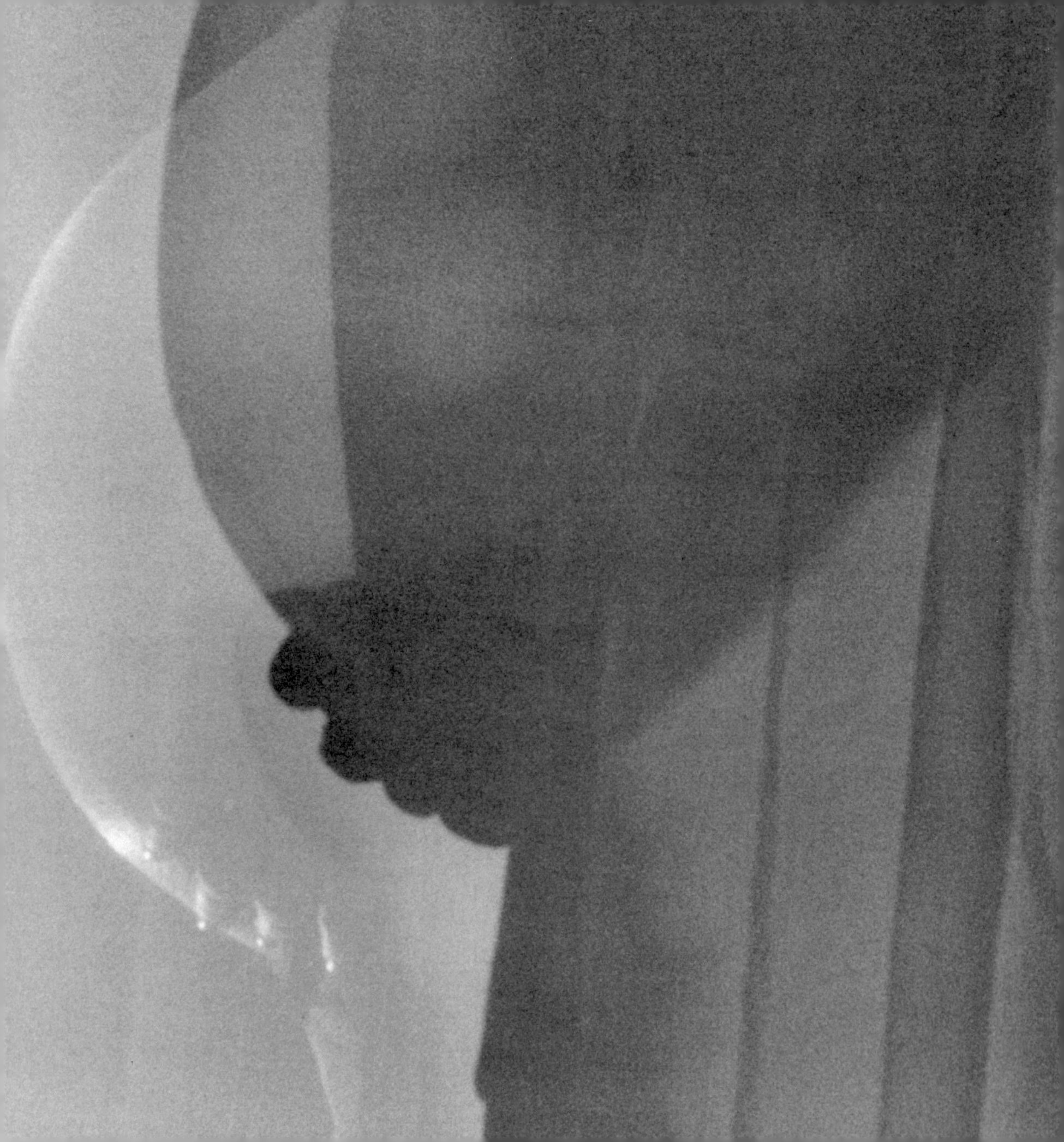

*Vous serez une part de la saveur du fruit.*

René Char

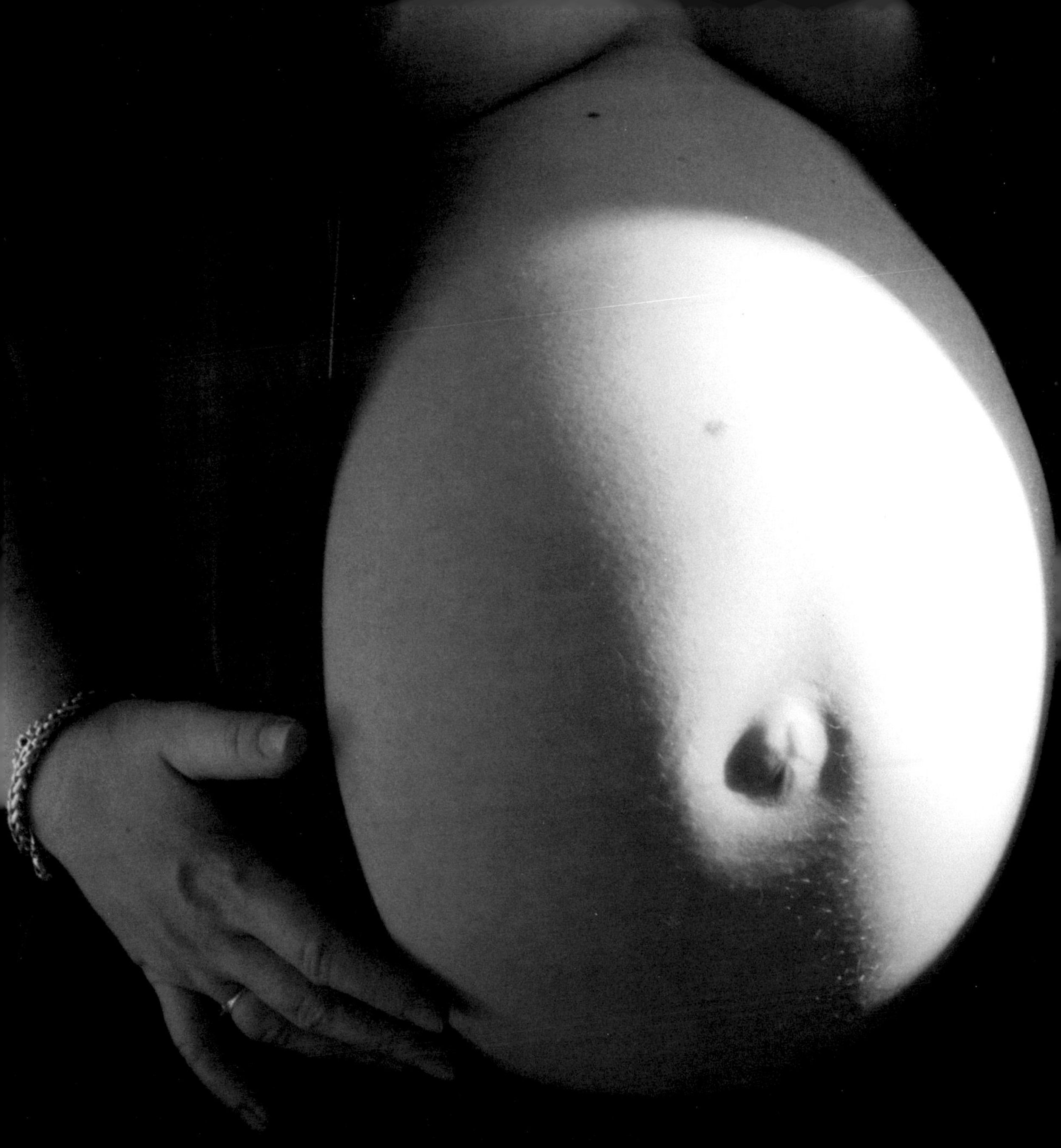

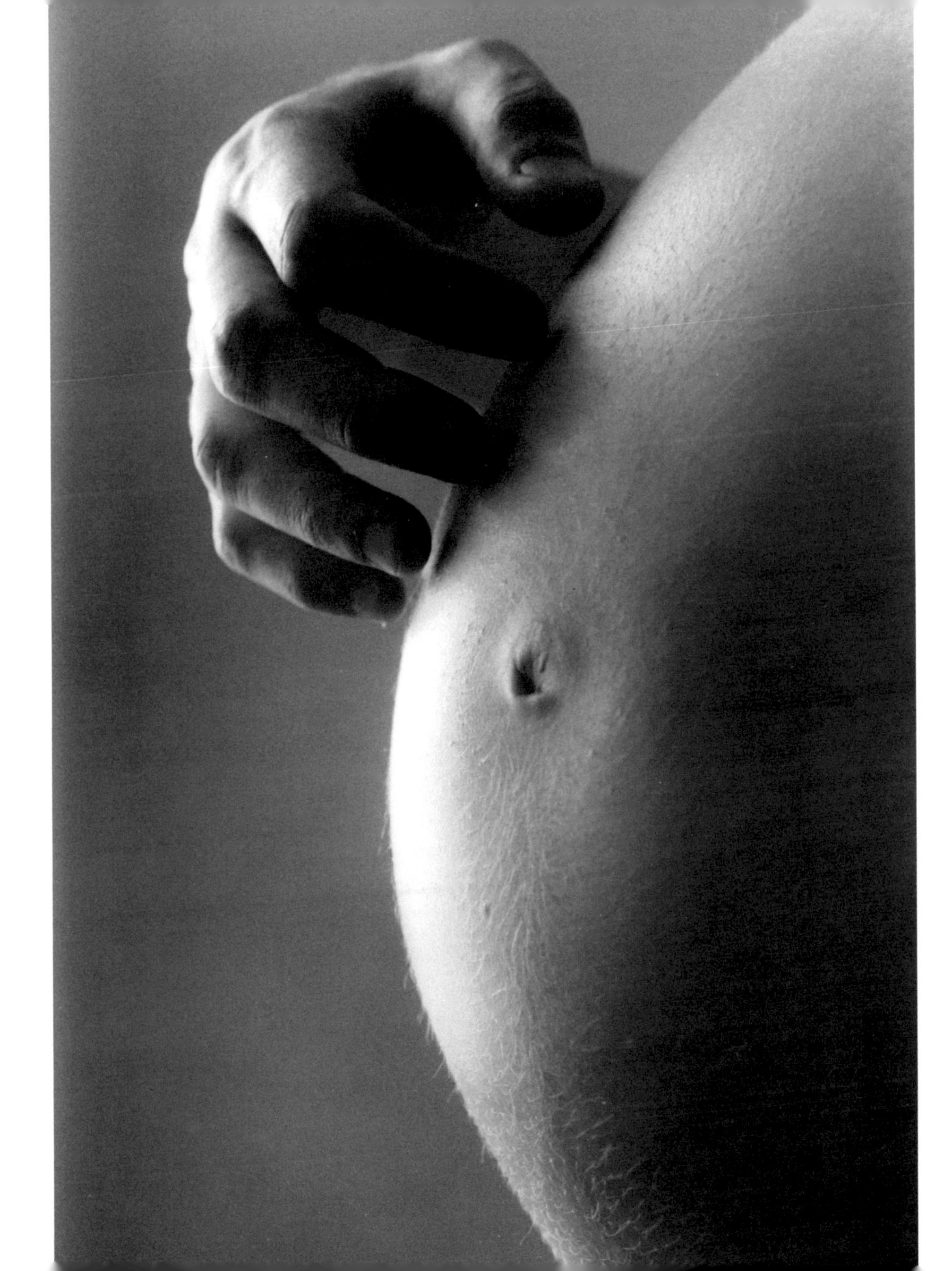

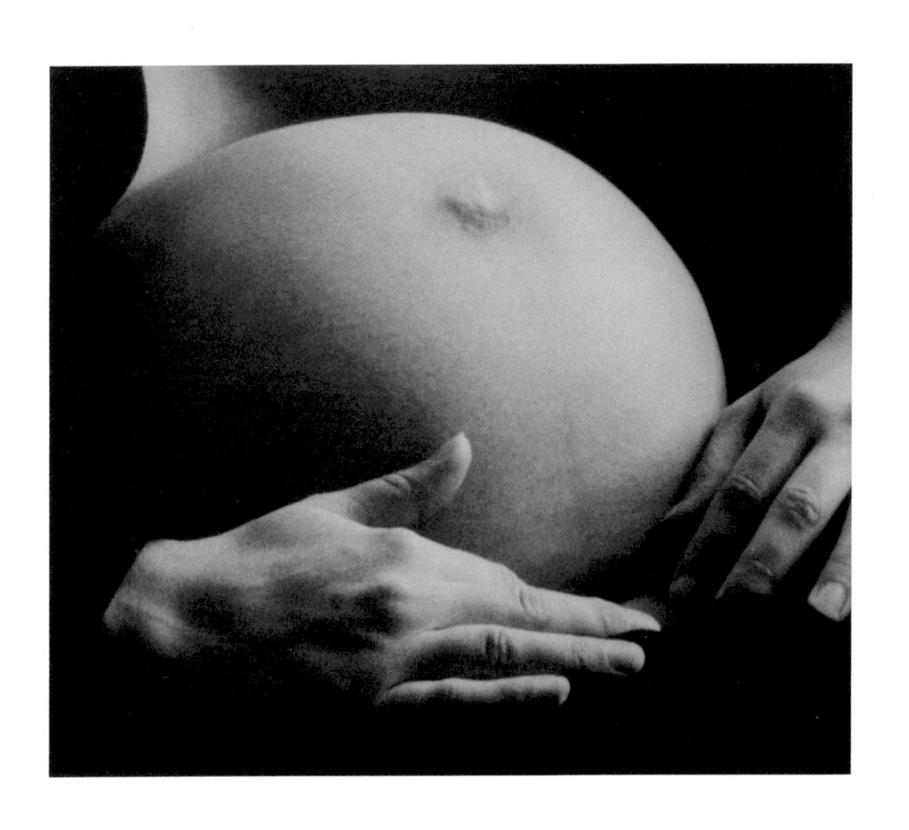

*Art d'ouvrir les sillons*
*et d'y glisser la graine.*

René Char

# Une anecdote sans importance?

*La grossesse est le passage générateur de notre lignée. Si nous sommes sur la Terre depuis plusieurs millions d'années c'est qu'une suite ininterrompue de femmes ont reçu en elles la semence mâle et accueilli l'embryon pour le mener à terme. Un arrêt dans cette chaîne entraînerait la disparition de notre espèce.*

*Serait-ce une anecdote sans importance?*

*La disparition d'une espèce n'a, en soi, rien de spécial. Le phénomène s'est produit déjà d'innombrables fois. Tout au long de l'histoire de la vie sur la Terre, des espèces vivantes, animales et végétales, ont fait leur apparition tandis que d'autres disparaissaient. Grâce à nos connaissances en géologie et en paléontologie nous pouvons aujourd'hui retracer l'évolution de la vie sur la Terre.*

*Bien que celle-ci soit apparue il y a un peu plus de trois milliards d'années, on ne peut étudier correctement les variations des populations vivantes qu'à partir de six cents millions d'années, époque où les premiers organismes sortent des milieux aquatiques pour se propager sur les continents.*

*À partir de cette période, le nombre de familles augmente graduellement tandis que les vivants prennent possession de leur nouveau territoire. Par la suite, l'histoire de la vie est marquée par des épisodes de perturbations majeures, qui ont provoqué la disparition de fractions importantes des espèces vivantes. On compte cinq extinctions dues à des causes diverses et pas toujours bien identifiées: changements climatologiques, volcanismes généralisés, chutes d'astéroïdes. La cinquième entraîne la disparition des grands dinosaures. Elle a eu lieu il y a soixante-cinq millions d'années. On en connaît la cause probable: la chute d'un astéroïde géant, de la taille d'une grosse montagne. On a retrouvé le cratère laissé par l'impact dans le golfe du Mexique près du Yucatan. Son diamètre mesure plus de cent kilomètres. L'énorme chaleur dégagée par la collision a mis le feu aux forêts. Les cendres sont retrouvées sur toute la surface de notre planète.*

*Les scénarios de ces extinctions sont semblables. Les vivants qui ne peuvent pas s'adapter aux nouvelles conditions disparaissent tandis que d'autres survivent et quelques fois profitent de l'élimination de certaines espèces rivales. Ainsi nos ancêtres mammifères, des petits rongeurs nocturnes, débarrassés des grands dinosaures qui occupaient la plupart des niches écologiques de l'époque se sont rapidement développés et diversifiés, pour donner naissance aux nombreuses lignées de mammifères que nous connaissons aujourd'hui.*

*Le fait que la vie terrestre ait survécu à toutes les extinctions du passé, que les perturbations majeures que la planète a traversées tout au long de son histoire houleuse n'ont jamais réussi à éradiquer complètement les vivants de la Terre illustre bien l'extraordinaire robustesse des phénomènes vitaux. (La troisième extinction, il y a deux cent quarante millions d'années, aurait quand même éliminé quatre-vingt-dix pour cent des espèces; la planète est venue bien près d'être stérile!) Des études biologiques récentes confirment abondamment cette propriété des vivants. On trouve de la vie dans les lieux en apparence les plus inhospitaliers. À des températures dépassant celles de l'eau bouillante ou du gel. Dans des milieux extrêmement acides, alcalins ou radioactifs. Dans l'obscurité des fonds océaniques ou enfouis quelques kilomètres dans les strates rocheuses.*

*Nous sommes aujourd'hui dans une période d'extinction majeure: la sixième. L'impact de l'activité humaine est à l'échelle de la planète entière. Il provoque l'élimination complète d'un nombre considérable d'espèces vivantes, de cent à mille fois plus qu'avant le début de l'ère industrielle. Les causes sont nombreuses: utilisation des pesticides, fragmentation du territoire, chasses et pêches extensives et incontrôlées, pollution du sol, de l'air et des eaux par des rejets toxiques, changements climatologiques provoqués par le réchauffement planétaire, lui-même dû à l'émission de gaz carbonique par la combustion du pétrole, du gaz naturel et du charbon.*

*Quelles sont aujourd'hui les espèces menacées par cette sixième extinction. Selon les meilleures estimations des spécialistes: tous les grands arbres et les mammifères de plus de trois kilos. Nous, les humains, sommes dans le collimateur.*

*Quel que soit l'impact négatif de nos activités, nous ne sommes vraisemblablement (et heureusement!) pas en mesure de stériliser la Terre. La vie va continuer. Le Soleil se lèvera chaque jour encore, comme il l'a fait depuis des milliards d'années sur une planète qui reverdira chaque printemps. Mais nous n'y serons peut-être plus…*

*Et alors ? Par le passé, des millions d'espèces sont apparues puis disparues. Une de plus une de moins. Une simple anecdote ? Un fait divers à l'échelle cosmique ? Rien ne se verrait de Sirius, pas même de la Lune.*

*J'aimerais défendre l'opinion inverse, montrer en quoi à l'aune de l'évolution, la disparition de l'humanité serait une véritable perte. Les humains n'ont pas fait que des bêtises. Notre lignée peut être créditée de plusieurs innovations qu'aucune autre espèce ne pourrait réclamer. Je veux en décrire trois qui me paraissent capitales.*

*D'abord l'art et la culture. Avec l'Acadienne Antonine Maillet, on peut voir l'artiste comme « l'artisan du huitième jour ». Dans la belle métaphore biblique, Dieu créa le monde en six jours et se reposa le septième. Mais l'être humain réalisant qu'on pouvait faire encore mieux entreprit de l'améliorer et d'y ajouter de la beauté. Les cantates de Bach, un jardin Zen à Kyoto, un masque africain, une petite peinture de Klee ou de Morandi, Borobudur, les opéras de Wagner… sont des additions à la splendeur du monde qui disparaîtraient irrémédiablement si notre lignée devait s'effacer. Les termites n'auraient pas beaucoup de considération pour le bois des Stradivarius.*

*Ensuite la science. La curiosité est présente chez quantités d'animaux comme les chats, qui inspectent minutieusement leur domaine pour éviter toute mauvaise surprise. Mais chez l'humain, elle s'amplifie et dépasse de loin la composante utilitaire. Aucune autre espèce vivante, à notre connaissance, n'a pu élucider le comportement des atomes et des molécules, découvrir la nature intime de la lumière, déchiffrer l'alphabet du génome et le scénario des débuts du cosmos. Les antennes géantes des radiotélescopes sont en mesure de recevoir des messages en provenance des confins du cosmos. Elles ne résisteraient pas longtemps aux attaques de la rouille. Les banques de données informatiques perdraient irrémédiablement les précieuses informations accumulées pendant des milliers d'heures.*

*Et, à mes yeux la plus importante, la compassion. Dans un nid, les parents ne nourrissent pas les oisillons malades; ils les laissent mourir et réservent la becquée aux plus vigoureux, ceux qui seront à même de transmettre à leur progéniture des gènes sains. Dans une famille humaine, on se préoccupe aussi, et souvent plus, des enfants malades. C'est là un élément nouveau dans l'évolution de la vie. Les hommes ne sont pas inexorablement soumis à la logistique des gènes. On peut s'occuper des faibles et des malades, essayer d'adoucir leur sort même s'il n'en résulte aucune retombée génétique profitable. Avec les aléas que l'on sait, cette aptitude à la compassion se manifeste de multiples façons.*

*La transmission des arts, des techniques et des sciences, ainsi que des valeurs spirituelles permises par le langage, jointe à la puissance de la vie, ont conduit l'humanité, comme le dit le poète Lucrèce, « aux franges de la lumière ».*

*Si les femmes cessaient d'enfanter, si l'humanité disparaissait de la planète, la vie continuerait sur la Terre, mais l'exploration de formes nouvelles par l'activité des artistes et la poursuite de la connaissance de l'univers par les chercheurs scientifiques se termineraient. La logistique des gènes ne serait plus transcendée. On peut imaginer que l'évolution de la vie ramènerait plus tard une nouvelle lignée capable de tels exploits. Mais quand ?*

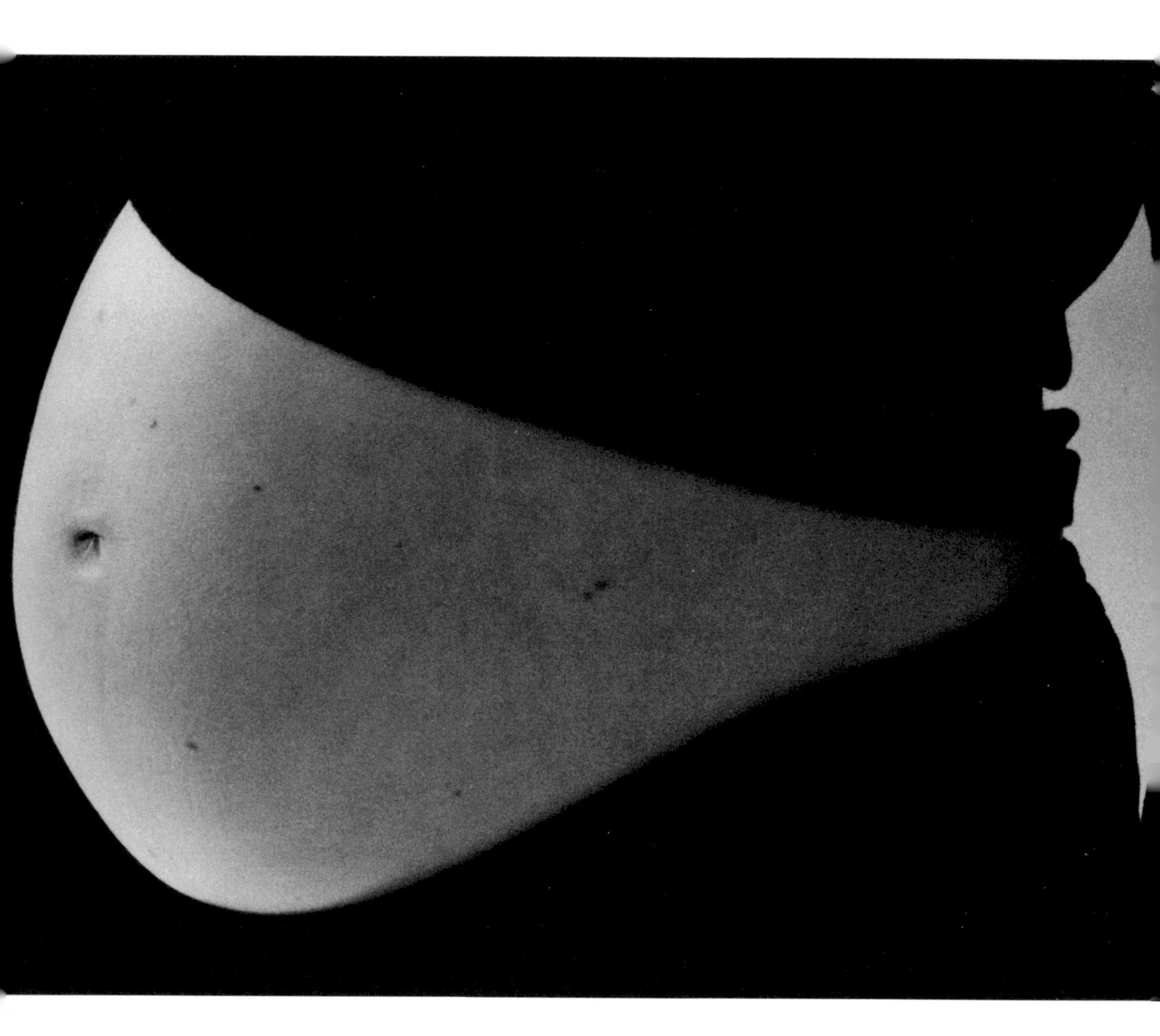

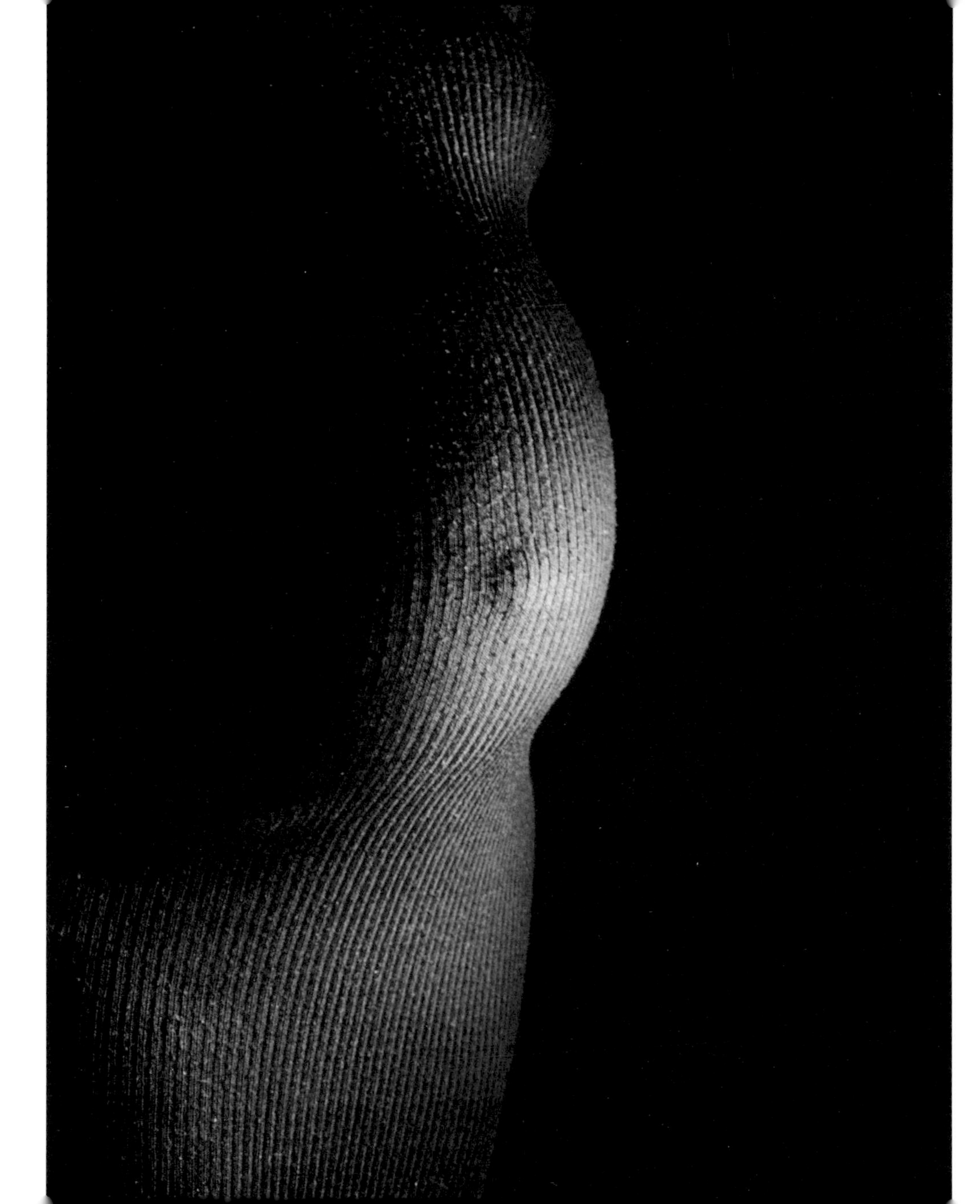

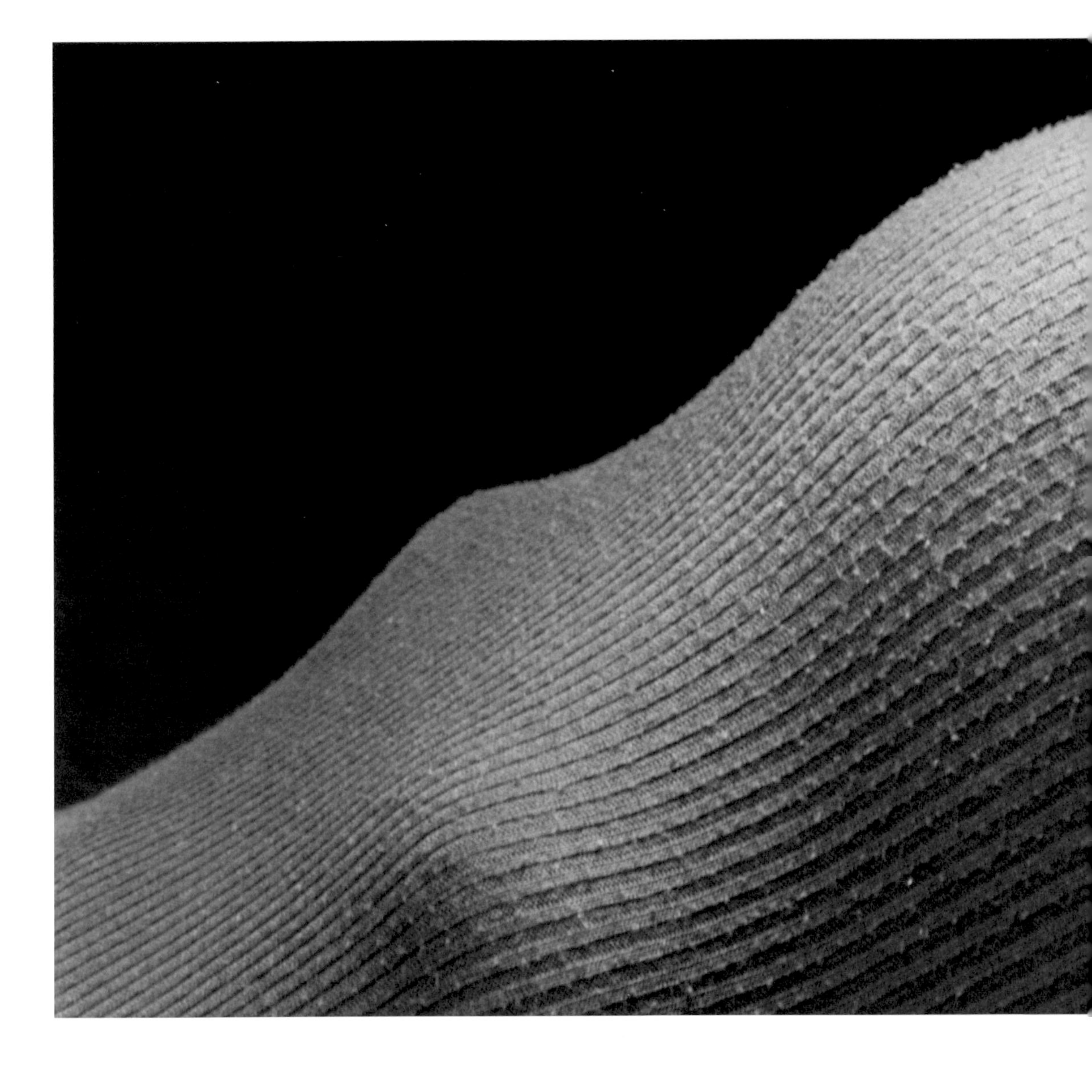

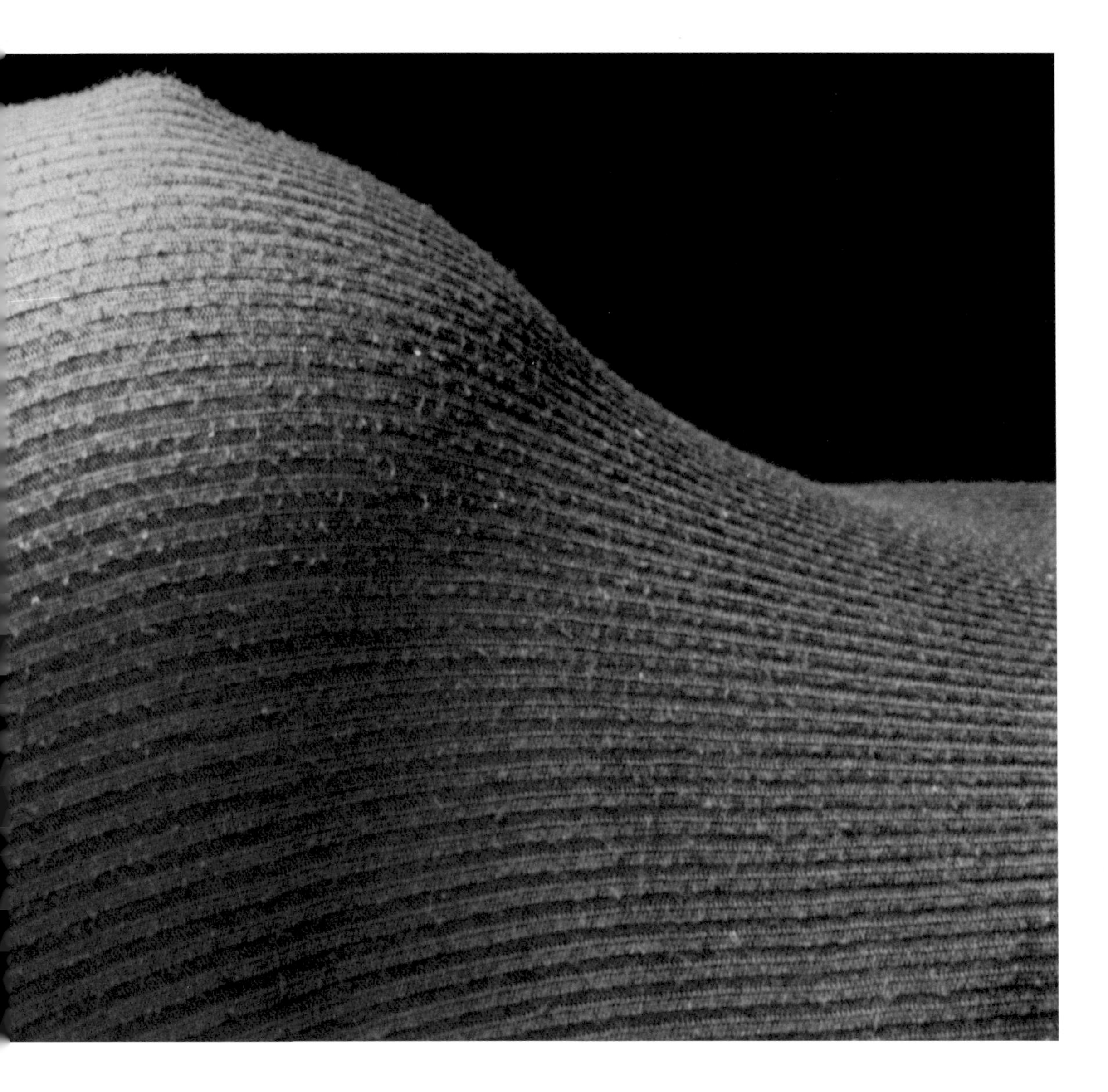

# La femme sans ombre

*Dans l'opéra de Richard Strauss, la «Femme sans ombre», la fille du Prince des Esprits, ayant épousé un simple mortel, doit sortir de son état dématérialisé (elle n'a pas d'ombre) et devenir humaine pour pouvoir lui donner des enfants. Et l'on entend dans le lointain le chant des enfants «non nés» qui demandent à venir au monde: «Nous voulons vivre, nous voulons une mère».*

*Prenant conscience de la détérioration planétaire et des menaces qui s'accumulent sur l'avenir de l'humanité, de plus en plus de jeunes couples se posent la question de la pertinence de mettre au monde des enfants.*

*À ceux qui me demandent mon avis sur cette question, je fais cette réponse apparemment absurde: «Si on vous avait consulté avant votre naissance sur l'opportunité de naître ou non, qu'auriez-vous répondu?»*

*Et j'ajoute : Si vous considérez que la vie n'est pas un opprobre qu'il aurait mieux valu ne jamais connaître ? Si vous considérez que tout compte fait, elle est merveilleuse et vaut la peine d'être vécue et que, quelque part elle a un sens, alors vous avez votre réponse. Donner la vie, c'est s'intégrer dans une démarche aux dimensions cosmiques chargée d'un mystère qui nous dépasse de toute part.*

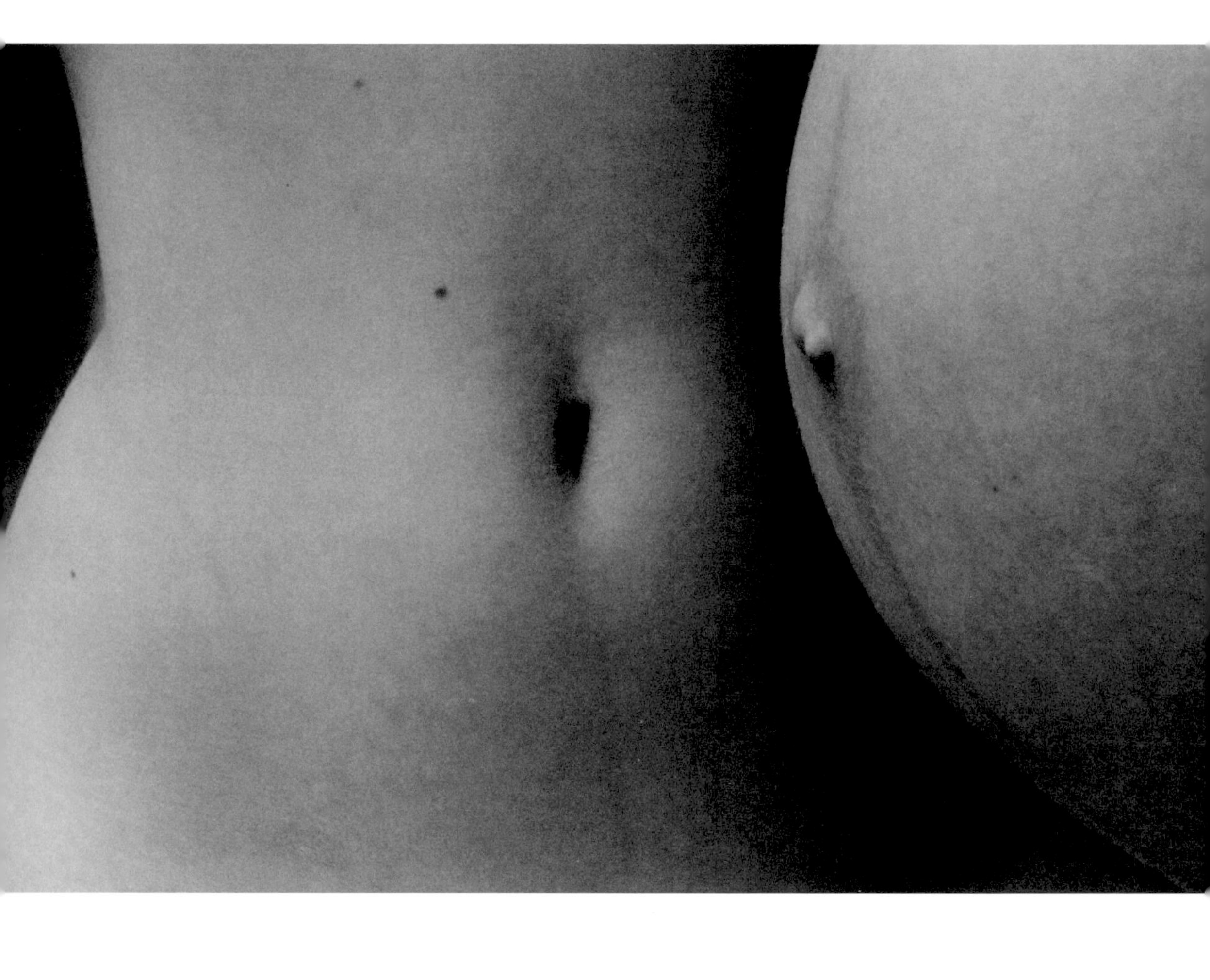

# Deux cœurs

*Dans le ventre d'une femme enceinte deux cœurs battent ensemble. Non pas à l'unisson mais à des vitesses bien différentes: le cœur de l'enfant est beaucoup plus rapide que celui de la mère. Puis, à la naissance, les cœurs se séparent et commencent leur carrière individuelle. La mère ainsi transmet la vie qu'elle a reçue elle-même et qu'elle perdra plus tard.*

*Si nous tournons à l'envers le fil du temps, nous trouvons une séquence analogue. Pendant la grossesse qui lui a donné naissance, le cœur de la mère accompagnait celui de sa propre mère. En remontant encore dans le passé nous rencontrons une séquence alternée d'épisodes à un cœur et à deux cœurs par lesquels l'étincelle de la vie est transmise à travers les âges. Ainsi dans l'histoire antique le coureur porteur d'une nouvelle à transmettre rejoignait un autre coureur auquel il donnait l'information que celui-ci entreprenait de porter jusqu'à un autre coureur, et celui-là à un autre coureur encore.*

*Nous pouvons ainsi traverser en marche arrière la généalogie de la mère, grand-mère, arrière-grand-mère etc. Éclairés par les intuitions de Darwin, nous retrouvons il y a quelques millions d'années les cœurs des primates qui ont donné naissance à la lignée humaine et toute la séquence des mammifères qui les précèdent. Traversant encore quelques centaines de millions d'années, nous rencontrons successivement les reptiles, les amphibiens et les poissons de la lignée évolutive. Quand les battements du cœur ont-ils commencé sur la Terre ? Les connaissances actuelles ne nous permettent pas de le situer avec précision.*

*Quelque part sans doute entre l'époque de la vie cellulaire de l'océan primitif d'il y a quelques milliards d'années et celle de l'apparition des premiers organismes marins, il y a six cents millions d'années.*

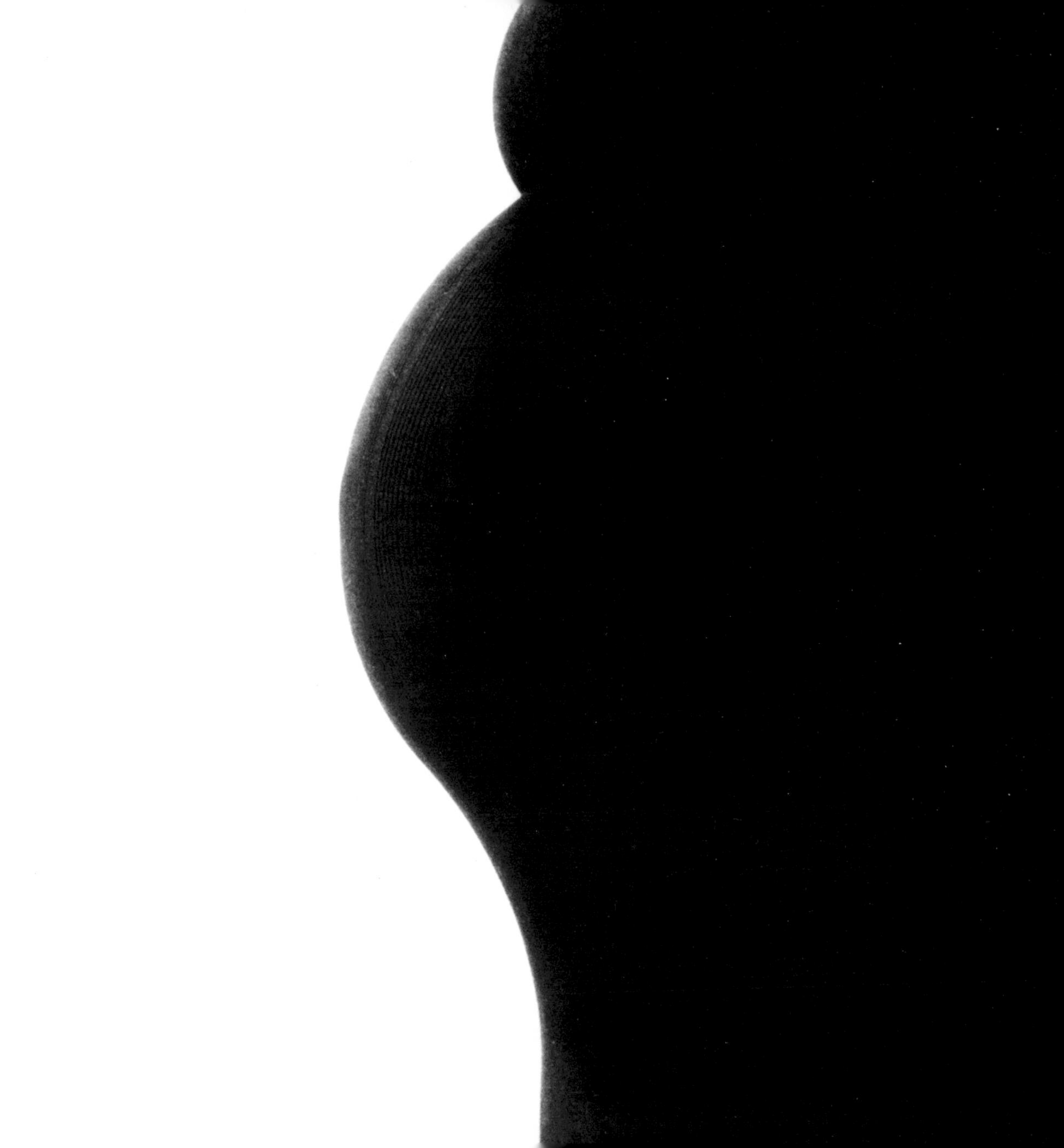

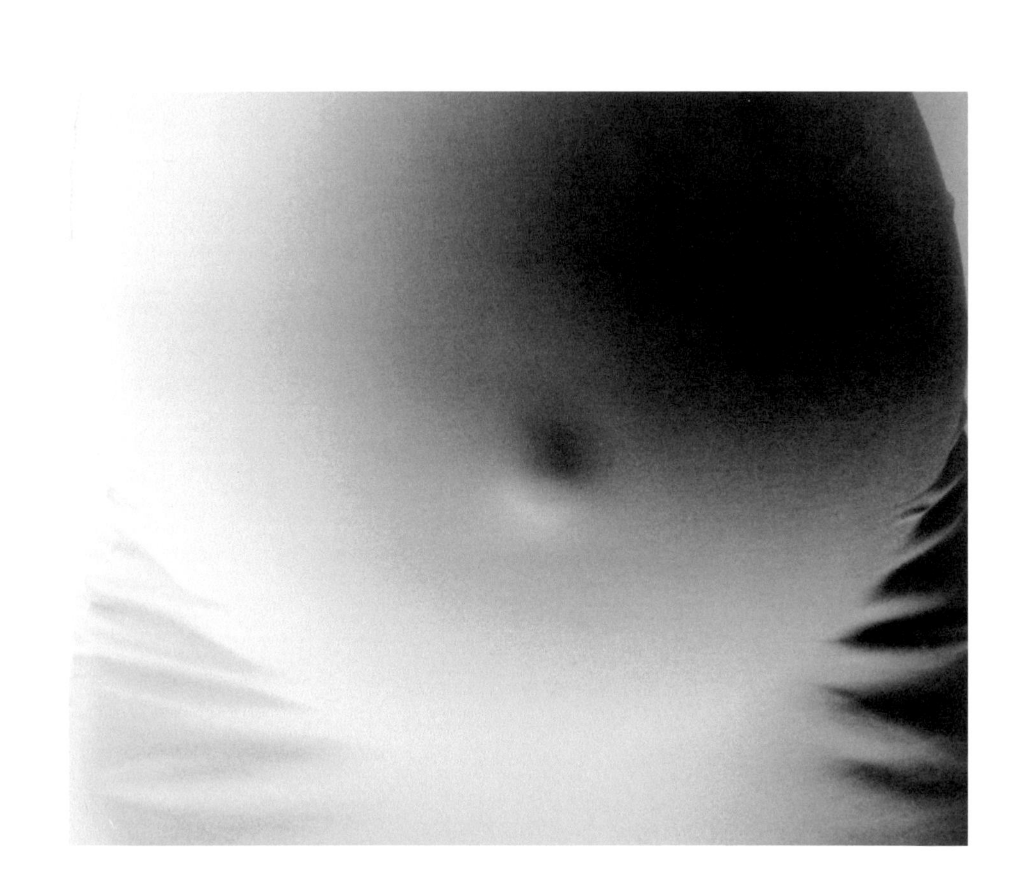

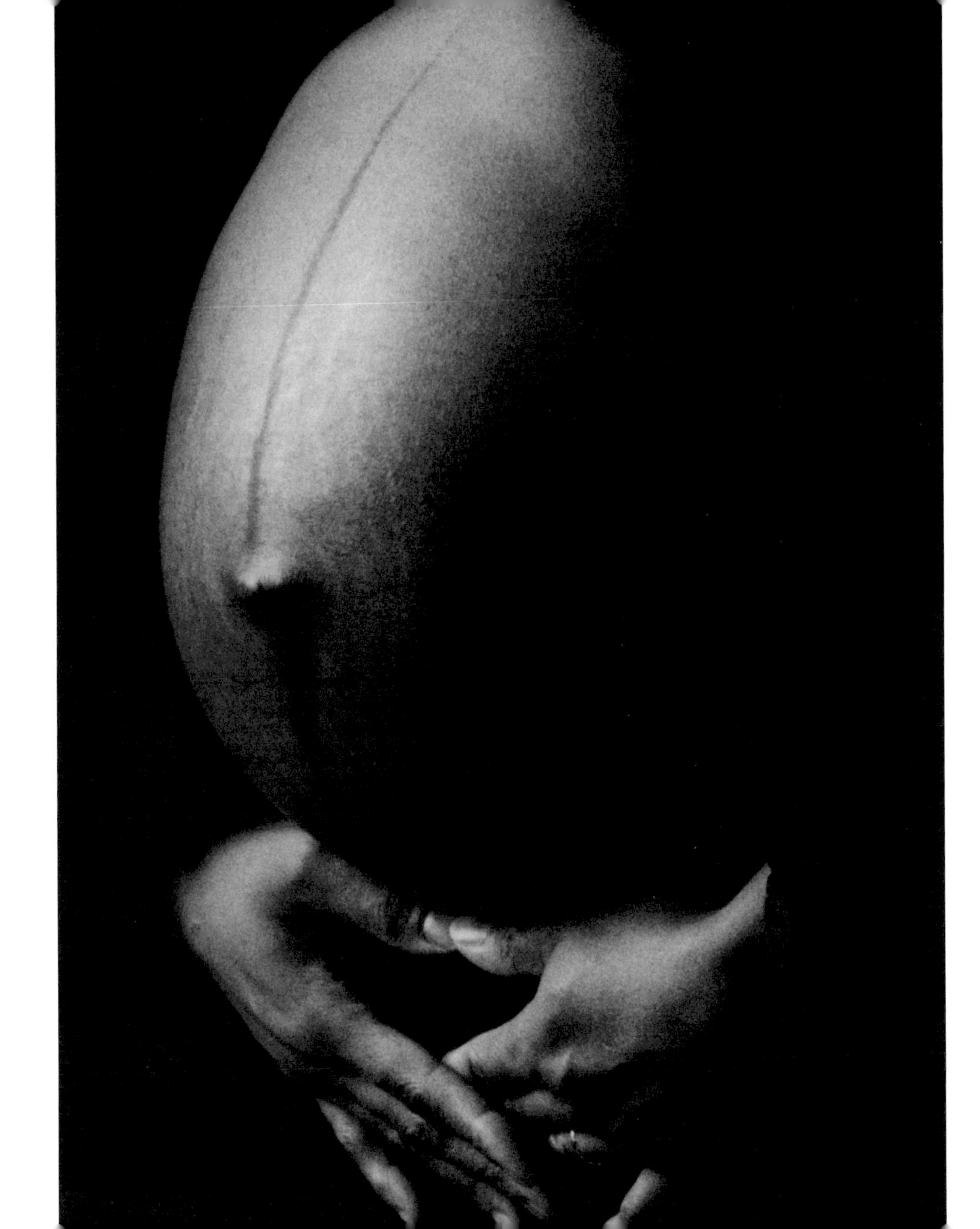

Par-delà les grands-mères de nos mères, le nombril nous relie à d'insondables profondeurs où nous cherchons la Grande Mère originelle au ventre lisse sans ombilic.

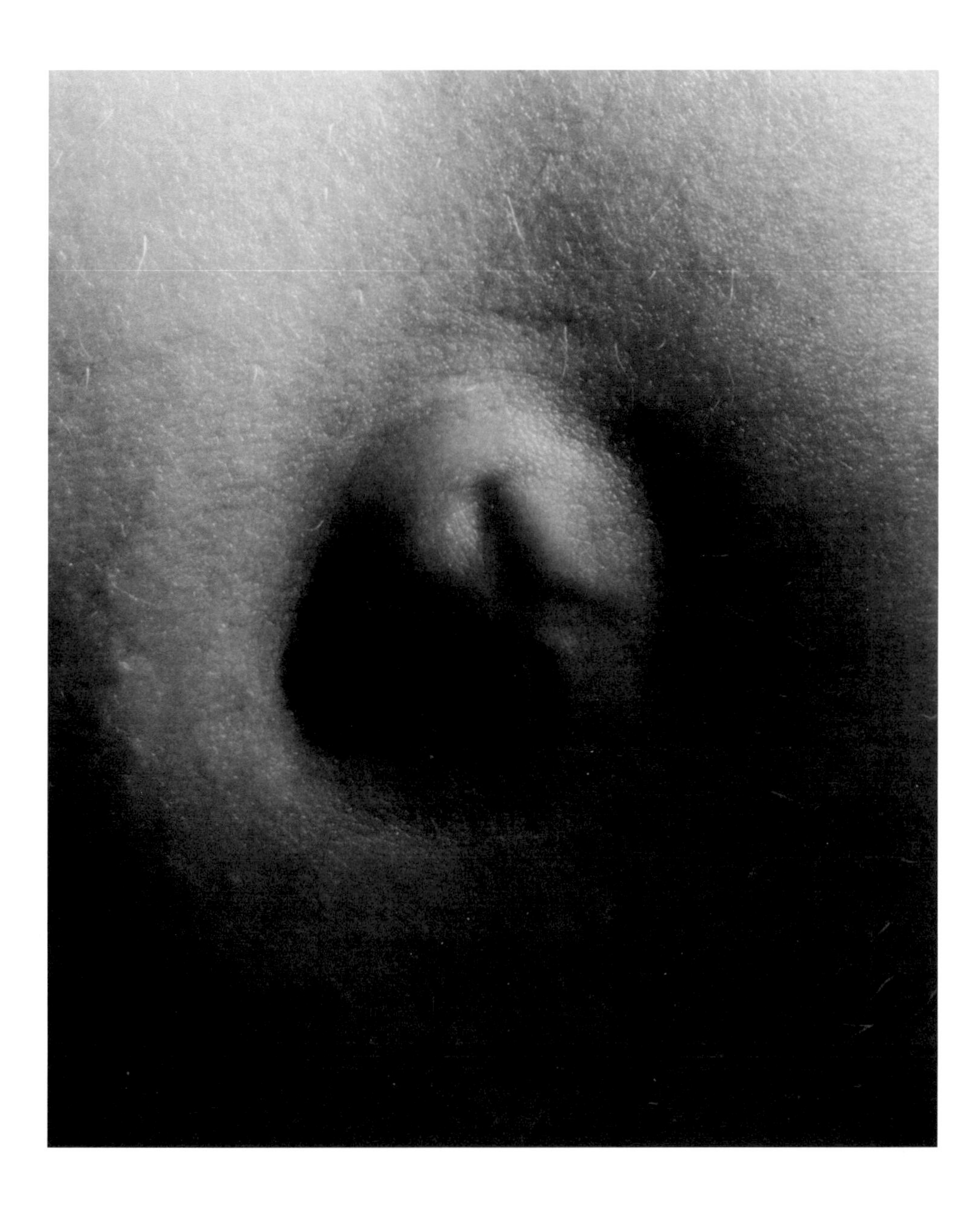

# Hommage

*Jetons un dernier coup d'œil sur ces images pour tenter de les insérer dans notre vision du monde. Grâce aux acquis de la science contemporaine, nous sommes en mesure de nous situer dans notre univers et de retracer notre passé lointain. Nous sommes les spectateurs et les acteurs d'une histoire qui s'étale sur des milliards d'années et des milliards d'années-lumière.*

*Dans un langage métaphorique, la nature (le lieu de ce qui doit naître…) nous apparaît comme possédée par une « pulsion » : faire continuellement du nouveau avec de l'ancien. Des particules elle fait des atomes, des atomes elle fait des molécules, des molécules elle fait des cellules vivantes et des cellules vivantes elle fait des organismes.*

*Nous connaissons maintenant assez bien les lieux et les dates de ces événements structurants. Au cœur des étoiles, par une alchimie nucléaire, se préparent les atomes éléments essentiels de tous les processus vitaux. La transmutation s'étale sur des millions voire des milliards d'années pendant lesquelles rien n'est visible. Il faut attendre l'explosion finale en supernova pour que cette moisson atomique fasse son entrée lumineuse dans l'espace interstellaire.*

*Ici, grâce à l'œil et à la caméra de Jacques Very, nous sommes amenés à contempler une des phases majeures de cette ascension cosmique. Les réalisations de cette pulsion créatrice se poursuivent, cachées à nos yeux par la paroi de la peau maternelle. Utilisant les informations stockées dans les gènes, un embryon puis un fœtus se forment tout au long des neuf mois de la grossesse. La rondeur du ventre de la femme enceinte, revue page après page et sur tant d'angles différents, évoque la forme sphérique des étoiles de notre ciel. Au centre de l'astre incandescent comme dans l'obscurité du ventre maternel se poursuit patiemment l'épanouissement du monde. Il y faut le temps: «Il est inutile de tirer sur les pétales pour faire éclore une fleur», dit un proverbe chinois. La naissance viendra à son heure mettre au jour l'enfant, fruit de cette lente gestation.*

*Ce livre est un hommage à ces ventres de femmes dans lesquels se poursuit cette élaboration cosmique.*

# Remerciements

# à

Mélodie ADL
Marie-Laure BEHRENS
Sophie BOULLANT
Fanny BOUTON
Marylène CUDEVILLE
Adeline DERIVERY
Isabelle DESCOURS
Véronique ÉLÉDUT
Lydie FRANÇOIS
Isabelle GELVÉ
Sylvaine JULLIEN
Frédérique PÉLISSIER
Sophie QUENET
Sophie RISLER
Maryagna RODIC
Karine ROQUET
Marie-Céline VALOGNES
Isaline VERY
Claudine VITRY

Violaine VERY, Jacqueline DANNA, Camille REEVES, Annick SEKKAKI,
Marie-Louise LIOT, Anne-Marie LE QUÉRÉ, Hélène PLAZIAT, Louise POLIQUIN
Armelle LESTOUX, Docteur Caroline MILANESSE

## Photographies

Toutes les photographies, à l'exception de celles de la statuette de la Vénus de Lespugue et de la nébuleuse en page 13 (NASA), apparaissant dans ce livre sont de Jacques Very.

## Références des citations

Edmond JABÈS :

- « L'eau » dans *Le Seuil Le Sable*, Paris, Gallimard, coll. Poésie, n° 240, Paris, 1991, p. 382.
- « Le sable » *Ibid.*, p. 327.

René CHAR :

- « Cruels assortiments » dans *Éloge d'une soupçonnée*, Gallimard, coll. Poésie, Paris, 1989, p. 539.
- « Cruels assortiments » *Ibid.*, p. 139.
- « Fenaison » dans *Feuillets d'Hypnos*, Gallimard, coll. Pléiade, Paris, 1998, p. 183.

## Auteurs

On aura compris que les textes de Jacques Very sont en caractères romains et ceux d'Hubert Reeves en caractères italiques.

# Épilogue

*« D'emblée ma recherche était formelle, » dit Jacques Very, et aussi : « La photo cadre le monde : il me fallait pousser cela jusqu'à l'extrême. »*

## Ronds et lisses sont les mystères les mieux protégés

*Fasciné par la rondeur du ventre près d'éclore, Jacques Very photographie des femmes fruits, des femmes dunes et collines, femmes terre aux ventres labourés, aux ventres peignés par le râteau, des femmes vaisseaux, la proue de leur ventre tirant leurs voiles dans le vent, d'improbables femmes bulles, faussement transparentes, dont le ventre est à la fois écrin et écran.*

*Un écran sur lequel jouent l'ombre et la lumière, sur lequel alternent et coexistent pêle-mêle passés, présents, futurs, questions et réponses.*

*Il interroge le mystère en lui donnant formes et fonds pour des réponses poétiques. Des réponses qui recréent la vieille sagesse, la Vieille Alliance entre le monde et chacune de ses créatures. Celle de l'analogie, celle de l'évocation.*

●

## Mystère

*Qui dit mystère dit résistance. Résister au mystère. Le banaliser, l'enfermer dans un discours simple, l'ignorer.*

*Les femmes sont enceintes depuis la nuit des temps, vous n'allez pas en faire tout un plat. Alors, honteuse, elle se cache. Elle se ferme à elle-même, elle ferme la porte du mystère. Parce que c'est trop dur toute seule. Elle n'écoute pas son ventre. Elle vit comme si rien ne se passait d'extraordinaire. Longtemps, longtemps, dix ans, vingt ans plus tard, elle n'en est pas remise. Une sourde colère, une tenace tristesse l'habitent encore. C'est elle qui dit, à toutes celles qui portent un enfant, même aux inconnues croisées sur le trottoir, au magasin, avec un désir touchant de convaincre qui serre le cœur, profitez-en. Profitez bien de ce moment, profitez bien aussi de vos enfants. Ça passe si vite.*

●

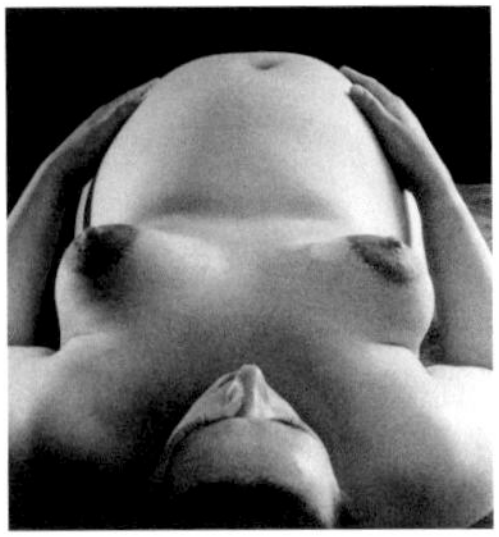

*Ainsi allongée, elle ne peut voir au-delà de son ventre.*

*Il lui dit : regarde-moi, et surtout il dit : arrête-toi. Écoute, regarde, ressent. Reste là à rêver, rêvasser, à accueillir ce qui monte en toi. Reste là à me parler, à ne penser à rien, à me caresser, à ne rien faire du tout.*

Mater, *matière : notre corps sait tant de choses que nous ne savons pas. Notre corps sait transformer des carottes, des épinards et même du fast-food en bébé. Ce savoir est en nous. Il nous faut pourtant le redécouvrir. Chaque génération apporte une réponse qui augmente le champ des questions.*

•

## Dans l'obscurité du ventre maternel...

*Dans l'obscurité du ventre maternel s'enchaînent d'infimes processus. D'abord, il n'y a pas d'yeux. Il y a un cœur qui bat comme un petit pulsar. Puis l'odorat, le plus ancien de nos sens, avant l'ouïe, avant la vue. Ensuite cette lumière rougeâtre qui alterne avec le noir absolu : le ventre dans la nuit noire. Qui préfigure la lumière, la clarté à venir.*

*Cette lumière rougeâtre ressemble-t-elle à celle qui éclairait sans répit la nuit de Borgès ? Plus jamais d'alternance. Son regret, poignant, n'est pas d'avoir perdu la lumière. C'est d'avoir à jamais perdu le noir total, la couleur de la nuit.*

•

*« Le temps de la grossesse est celui de l'alliance », dit Jacques Very.*

*Une femme et un homme s'inscrivent dans la longue chaîne de la vie. Surgit un intense sentiment d'appartenance au monde. Au-delà des mots. Suffocant. Un savoir dans le corps et par le corps. Qui nourrit et apaise, et laisse entier le mystère.*

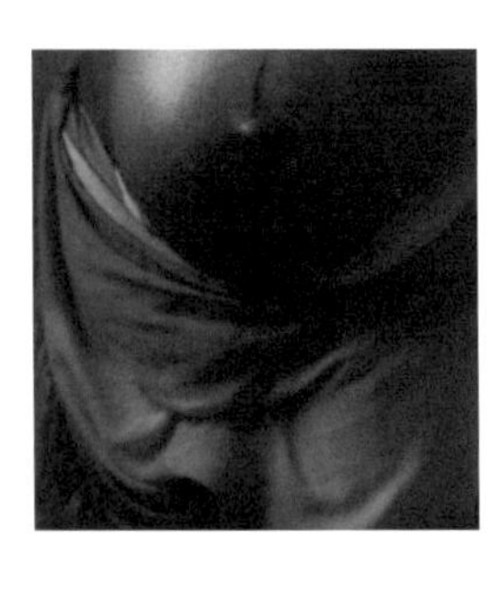

## Attente

*Ce savoir qui ne sait pas. Cette attente, ces questions qui n'auront jamais de réponse.*

*Je sais que tu auras des bras, des jambes, tout ça. Mais rien ne peut me dire ce que sera notre rencontre.*

●

*Je sais que je t'aimerai. Je le sais sans savoir qui tu es. Je ne sais quelles cordes subtiles tu feras vibrer en moi. Je sais seulement que je t'aimerai parce que je t'aime déjà.*

*Je ne sais rien de cet amour déjà là pour toi. Seulement qu'il est là et qu'il n'a ni début, ni fin.*

●

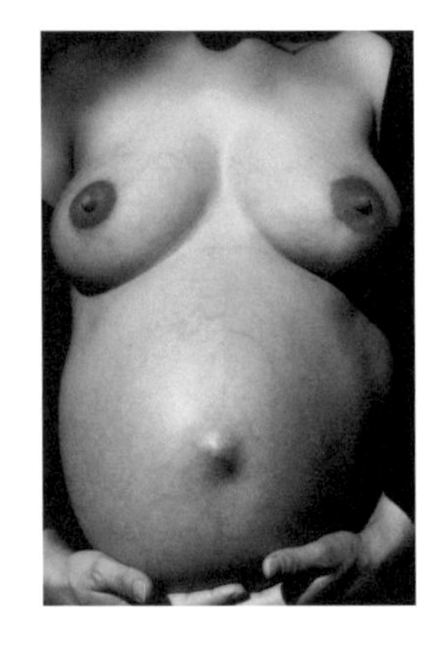

*Ses seins sont nourriciers, son ventre rond comme l'horizon.*

*Je sais, moi, ces géants seuls capables, debout sur leurs jambes, de voir de leurs yeux que l'horizon est courbe. Je t'en dirai l'histoire juste avant que tu naisses, et quand tu seras né, tu m'écouteras en ouvrant tes yeux ronds comme l'horizon.*

*L'horizon comme son ventre, ses mains posées sur l'horizon. Attente attentive.*

●

*L'horizon du ventre rond contient-il l'espoir, l'appel, l'élan ?*

*Le temps des géants est passé. L'horizon appelle les humains portés par des questions géantes. Aller plus loin que l'horizon.*

*En esprit, en bateau, en rêve, en avion, en chair et en os, en fusée, en poèmes, en musiques.*

*Aller plus loin que l'horizon rond comme le mystère et qui toujours se multiplie.*

●

*Jacques Very interroge les ventres comme l'astronome les étoiles, les planètes chaque fois uniques et chaque fois ressemblantes.*

●

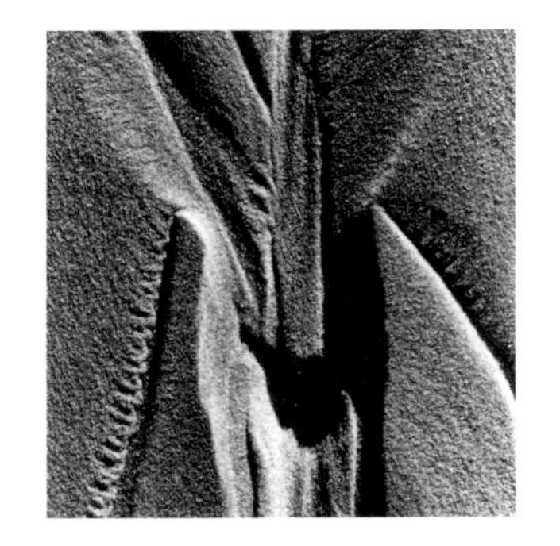

*L'Origine du monde. Ce tableau de Courbet, en son temps, a fait scandale.*

*Les sillons de cette vulve de terre labourée pour enfanter renvoient au soc de la charrue, à la semence, au sexe de l'homme, cet absent pourtant présent dans chacune des photos.*

*L'origine du monde ?*

*Depuis le début des temps, on vit à sa porte.*

●

*Des ventres ronds, pleins, aux nombrils saillants ou creux, un, deux, trois, quatre ventres, une comptine des rondeurs, sous des lumières et des angles dramatiquement ou subtilement différents.*

*De leur multiplicité naîtra peut-être la réponse.*

●

*Ce ventre recouvert de sable, comme si le vent l'y avait collé.*

*Le moment est éphémère, le sable n'est jamais immobile. L'eau bientôt le lavera, le vent le dispersera. Il reprendra son voyage sans fin et sans but, au gré des éléments. Marqué par l'empreinte de ce court moment.*

●

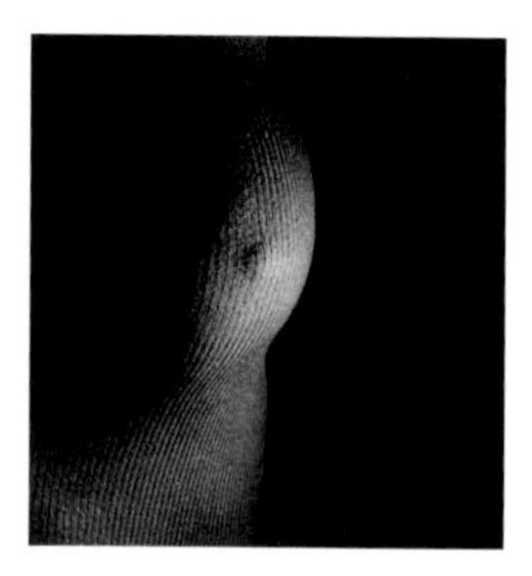

*Femme jardin. Le vêtement habille de familiarité le corps épanoui, mystérieux, comme le râteau du bonze habille le sable et le gravier d'un mouvement qui leur est étrange.*

**Dominique Ribière**

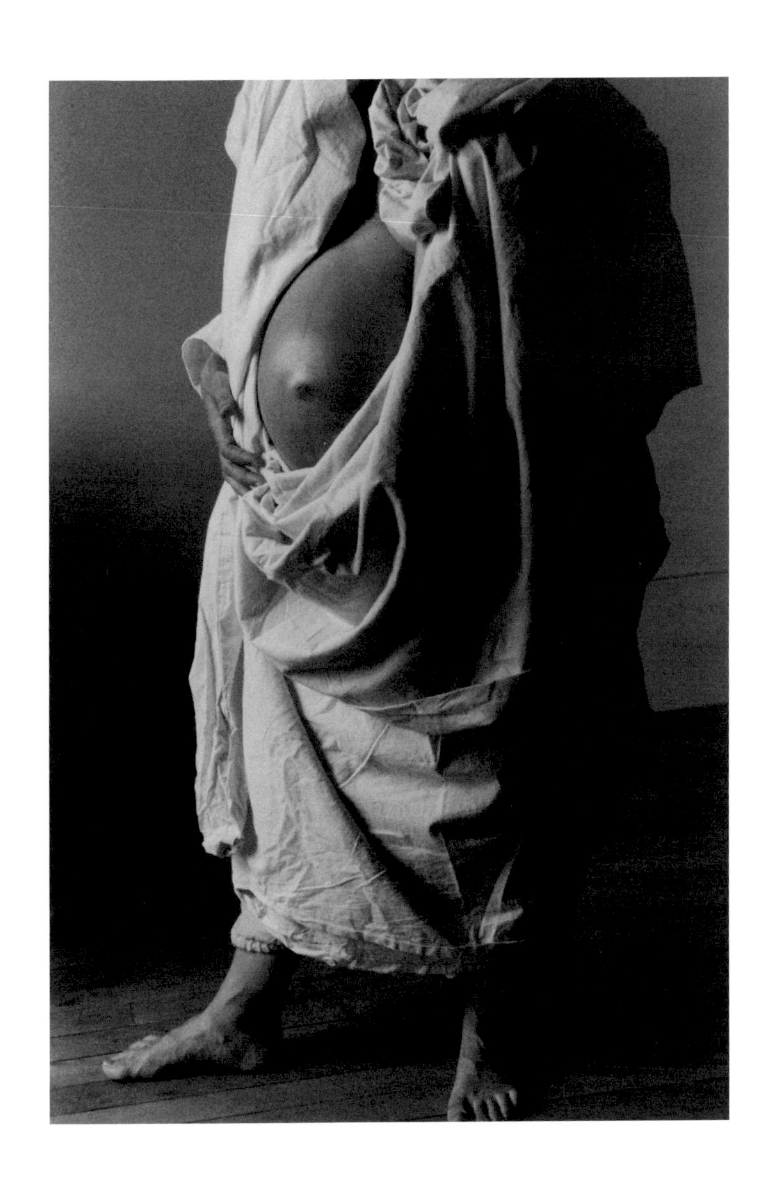

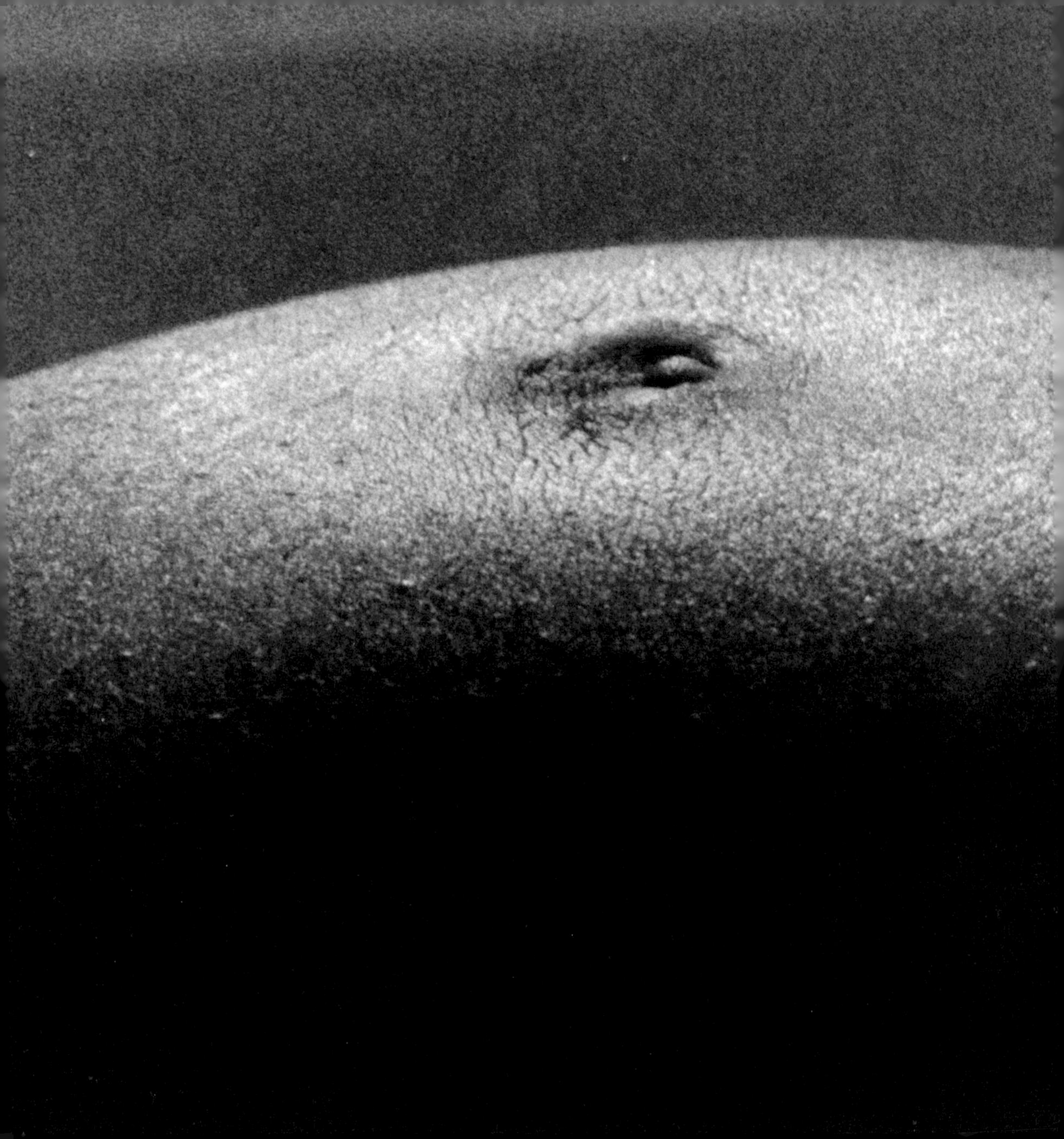

*Pourquoi relier mère et matière ? Via le latin* mater *et* materies, *les deux mots sont étroitement apparentés. Ils sont issus d'une racine représentée dans toutes les langues indo-européennes (italien et espagnol* madre, *portugais* mâe, *anglais* mother, *allemand* Mutter*), de l'arménien au sanskrit et de l'irlandais au vieux slave. Pareille unanimité exige une explication d'autant que* mater *désignait primitivement le tronc de l'arbre par où monte la sève alimentant les branches comme une mère nourrissant ses petits.*

Odon Vallet, *Petit lexique des mots essentiels*, Albin Michel